위치스 딜리버리

안전가옥 쇼-트 04

전삼혜 단편집

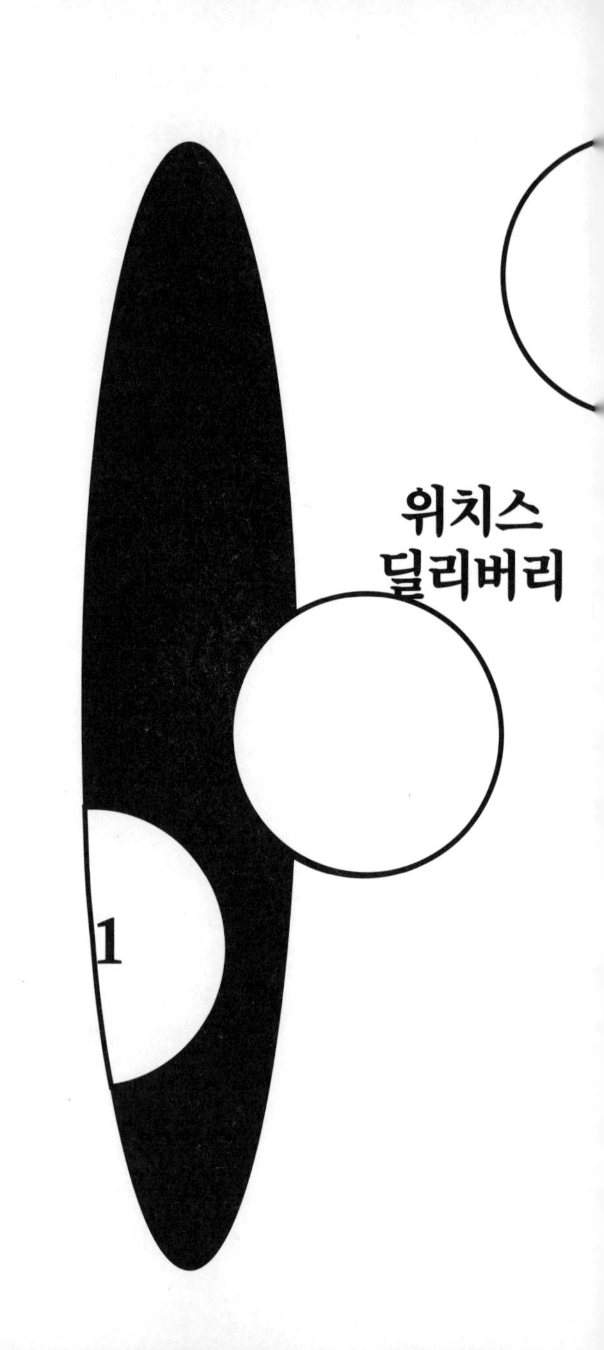
위치스
딜리버리
1

1. 난 누군가 또 여긴 어딘가

하늘에 계신 주님, 저는 아이돌 덕질 좀 하겠다고 알바를 시작한 것뿐이거든요. 그런데 지금 제가 왜 이러고 있어야 하죠? 말리시려면 미리 말리셨어야죠. 강보라는 콘택터를 한 팔로 꽉 끌어안았다. 은신 망토는 준비해 두었다. '위치스 딜리버리'의 사장인 소윤정과 '밴시포켓'의 사장 안마리는 더 이상 물러날 곳이 없는 보라를 향해 천천히 다가왔다.

"보라야, 콘택터만 이리 줘. 그러면 마리도 너를 해치지 않을 거야. 네가 콘택터에 느끼는 친근함은 다 가짜야."

소윤정의 다정한 목소리도 보라의 귓가에는 유리 깨지는 소리처럼 쨍그랑거릴 뿐이었다. 친근감. 그래. 친근감도 있었다. 사람의 머리를 본떠 만든 콘택터를 이렇게 끌어안게 된 데에 친근감이 큰 역할을 한 건 사실이었다. 하지만, 하지만 내가 콘택터를 넘겨주면, 당신들은. 보라는 주머니 안을 더듬었다. 주머니 안에서 작은 돌멩이가 만져졌다. 안마리가 한 발자국 앞으로 나섰다. 손에는 일렁거리는 검은 나뭇조각이 들려 있었다.

"난 두 번은 말 안 한다. 목숨이라도 건지고 싶으면, 콘택터 이쪽으로 던져."

분노가 눈에 보일 듯 선명하게 어린 안마리의 목소리.

하지만 내가 그 말대로 하면, 당신들은 내 친구를 죽일 거잖아. 깨우지 않고 말라비틀어진 시체가 되도록 내버려 둘 거잖아. 오래 살면 이쯤은 아무렇지도 않아? 등에 창틀이 배겨 욱신거렸다. 아, 젠장. 이렇게 된 이상 아무래도 좋아. 보라는 주머니에서 돌멩이를 꺼내 높이 치켜들었다.

주문 외우는 것쯤, 하나도 쪽팔리지 않아! 목숨이 달렸다고!

열여덟 살 인생에 뽑기 운은 지지리도 없었지. 빵 열 개를 먹어야 최애도 아니라 차애 스티커 겨우 하나 나오는 게 일상이었어. 콘서트 예매도 매번 주은이가 대신 해 줬지. 그러니까 이번 한 번쯤은 잘되어야 균형이 맞잖아!

강한 거, 빠르고 발차기가 강한 거! 뭐라도 나와!

소환!

"미카엘라, 누나가 아낀다!"

난장판이 된 3층에 노란 구름이 자욱하게 깔렸다.

“끼웨에에에에!”

우렁찬 소리를 지르며, 목이 길고 어금니가 뾰족한 짐승이 나타났다.

그런데 대체 이게 뭐야?

“고라니를 소환했어? 소환술은 예비 마녀가 익힐 수 있는 게 아닌데?”

안마리가 미간을 좁히며 인상을 썼다. 보라의 미간도 덩달아 좁아졌다. 야, 분명 희귀한 동물이 나올 거라며! 저게 세계적으로나 희귀하지, 우리나라에선 유해 조수급이거든? 아무튼, 시간은 벌었어.

“공격해!”

보라가 고라니의 엉덩이를 힘껏 걷어차자, 고라니가 다시 ‘40대 아저씨를 한겨울 폭포에 집어 던지면 날 법한 소리’를 지르며 앞으로 돌진했다.

2. 위치스 딜리버리

"씨엘즈 콘서트 빨리 가고 싶다. 여름방학도 필요 없어."

보라는 주은의 앞자리 의자에 반쯤 눕다시피 늘어져 칭얼거렸다. 씨엘즈는 보라와 주은이 좋아하는 걸그룹이었다. 이번 9월에 첫 단독 콘서트를 한다고 해서 얼마나 들떴는지. 콘서트 예매를 하려고 피시방에서 손가락에 불이 나도록 새로고침을 한 게 지난주였다. 주은은 R석 두 자리를 잡는 데 성공했지만 보라는 실패. 냅다 주은의 카드로 좌석 두 개를 질러 버린 것까진 좋았다.

"돈이나 갚아."

문제는 보라에게 콘서트 표를 살 돈이 없다는 거였다. 잠실체육관 콘서트 티켓이라 비쌀 거라는 예상은 했지만 9만 9천 원이라니. 콘서트 보기 전에 굿즈도 사야 하는데! 응원봉이랑 티셔츠랑 텀블러랑 그런 거! 포토 카드도 뽑아야 하고! 게다가 잠실에서 보라와 주은이 사는 성남까지는 멀기도 멀었다. 광역 버스 차비까지 다 하면, 으으으. 게다가 여름방학 때 놀 것까지 생각하면 30만 원은 벌어야 하는데. 아르바이트가 필요했다.

"알바 알아볼 거야. 야자 안 해서 다행이지."
"좋겠다. 보라 넌 학원도 안 다니지?"

주은이 항상 그렇듯 실핏줄 터진 눈으로 보라에게 부럽다는 표정을 지어 보였다. 야자를 빼지는 대신 주은은 밤 11시까지 학원 뺑뺑이를 돌았다. 콘서트 가겠다고 말 꺼내기가 무섭게 그럼 학원 하나 더 다니라고 끊어 주는 부모가 다 있다니, 그냥 돈으로 주지. 보라는 늘어지게 하품을 했다.

"원동기 면허 있으니까 배달 알바 구해 보려고."
"헐. 그건 왜 땄냐."
"고1 때 땄어. 전동 킥보드 무면허로 타다가 손목 부러지고 나니 면허를 따고 싶어짐."

넌 정말 이상한 공부를 잘하는구나. 주은의 성적은 상위권이었지만, 내심 보라가 부러웠다. 이러나 저러나 학원을 안 다녀도 보라의 성적은 중상위권이었다.

"너 원동기 면허 있는 거 알면 우리 엄빠가 절대 너 못 만나게 할 거 같다."

주은은 한숨을 쉬었다. 안 그래도 성적 떨어지는 애들이랑 놀지 말라고 학원도 비싼 데로 끊어 주는 부모였다. 보라는 으랏차, 소리를 내며 몸을 일으켰다.

“말 안 하면 됨. 배달 알바 받아도 니네 집엔 절대 안 감.”

자신만만하게 큰소리를 쳤는데.

“여자는 배달 알바 안 써.”
“고등학생? 원동기 면허 있어도 안 돼. 여자애가 막, 칼치기 하고 그럴 수 있어?”

아, 시켜나 보고 얘기를 하든가! 배달 알바를 구하는 곳마다 미성년자는 안 된다, 여자는 안 된다 딱딱 잘라 버렸다. 에이씨, 남자애들한테는 잘만 시키면서. 투덜투덜댄다고 해서 일자리가 구해지는 건 아니었다. 아. 앞날 깜깜하네. 치킨집에서 다섯 번째 퇴짜를 맞고 보라는 상가 입구에 주저앉았다.

“하늘에서 돈 떨어지면 좋겠다.”

팔랑.

돈 대신 보라의 눈앞에 명함이 떨어졌다.

보라는 명함을 발로 밀어 버리려다 명함을 떨어뜨리는 여자에게로 시선을 옮겼다. 팔랑, 팔랑. 반백의 긴 머리를 뒤로 질끈 묶은 여자가 차도 한가운데를 걸어가며 명함을 천천히 떨어뜨리고 있었다. 보라의 눈이 커진 것은 땅에 떨어진 명함이 1분쯤 지나면 사라지는 걸 알아채고 나서였다. 게다가 명함에 눈길이라도 주는 사람들은 여자들뿐이었다. 남자들은 명함이 어깨를 스치며 떨어져도 전혀 알아채지 못한 듯 갈 길을 가고 있었다.

보라는 잽싸게 달려가 바닥에 떨어진 명함 하나

를 낚아챘다.

"오, 잡으면 안 사라지네. 다행이다."

반짝반짝 빛나는 명함에는 QR 코드 하나와 '여성 전용'이라는 글자만 박혀 있었다.

"퇴폐 업소인가…. 에이, 설마. QR 코드 찍는다고 스마트폰 다운되지야 않겠지."

보라가 카메라를 켜서 QR 코드를 스캔하자 스마트폰 화면에 웹페이지가 나타났다. 화면에는 '위치스 딜리버리, 여성 전용 배달 아르바이트. 청소년 가능'이라는 문구와 함께 주소가 적혀 있었다. 수내 지하차도 근처면 걸어서 갈 수 있잖아. 내친김에 보라는 '위치스 딜리버리'라는 곳을 찾아가 보기로 했다. 어차피 이 동네엔 퇴폐 업소 같은 거 못 세운다고. 사거리 하나 건널 때마다 학교가 나오는데. 명함을 주머니에 넣은 보라가 찾아간 곳은 5층 상가 건물의 꼭대기 층이었다. '위치스 딜리버리'라고 쓰인 간판 옆에는 뼈다귀 모양 스티커가 붙어 있었다. 스티커 아래로 시선을 내려 보니 '반려동물 간식 전문'이라는 글자가 떡하니. 개 껌 배달 알바 모집인가. 보라는 긴가민가하며 초인종을 눌렀다.

문을 열고 나온 건 명함을 뿌리며 걸어가던 여자였다.

분명히 나하고는 반대 방향으로 걸어가고 있었는데, 어떻게 여기 있는 거지? 당황한 것도 잠시, 피곤해 보이는 여자가 "뭐예요, 아르바이트?"라고 묻자 보라는 씩씩하게 "네!"라고 대답해 버렸다.

돈 앞에서 사람은 가끔 앞뒤를 못 가리게 된다. 애든 어른이든.

안으로 들어서니 파티션이 공간을 넷으로 나누고 있었다. 상자가 어수선하게 쌓인 곳, 예쁘게 포장된 동물 간식 같은 게 진열된 곳, 컴퓨터와 프린터가 놓인 곳, 그리고 나머지 한 곳은 커튼으로 가려진 채였다. 보라는 여자가 앉으라고 가리킨 의자에 주춤주춤 앉았다.

"배달 아르바이트 구하려고 온 거죠? 핸드폰 번호가 010에 **** @@@@."

"제 핸드폰 번호 맞는데… 어떻게 아세요?"

"아무 사이트나 막 접속하면 그렇게 털려요."

여자는 하품을 손으로 가리며 보라를 위아래로 훑어보았다.

"여자 맞죠? 우린 남자 배달 안 써요. 생활복 보니까 수내고? 신해철 거리 있는 동네."

"네…. 2학년이에요."

순식간에 개인 정보를 좌르륵 털린 보라는 슬쩍 몸을 움츠렸다.

"주문 밀렸으니까 계약서부터 쓰죠. 배달 한 건에 만 원."

"만 원요?"

보라는 하마터면 의자에서 일어설 뻔했다. 보통 배달은 건당 3천 원꼴인데, 만 원이라니. 하루에 다섯 건만 하면 일주일에 30만 원이다. 속으로 쾌재를 부르는 보라를 가만히 쳐다보던 여자가 말을 이었다.

"원동기는 빌려줄 거고, 한 달에 관리비 3만 원 들어가요. 그리고 하루에 한 건이나 두 건. 소형 화물만 취급합니다. 비 오는 날은 이 사무실에서 포장 아르바이트 돕고, 그때는 최저 시급. 여기 계약서 읽어 보고 사인해요."

레알 꿀알바다. 보라는 계약서 첫 장의 '건당 만 원'을 보자마자 맨 뒷장에 이름을 적었다. 파직, 뭔가 빛난 것 같지만 착각이겠지. 사인한 계약서를 내밀자 여자가 피식 입꼬리를 올렸다.

"요즘 학교에서 근로기준법 안 가르치나 보네."

"에?"

"뭐, 사인했으니 계약 끝. 내가 사장이니 말 놓을게요. 소윤정이야. 소 사장님이라고 부르든 윤정 씨라고 부르든 맘대로 해. 그나저나, 청소기는 뭘로 할래? 저기 안쪽에 세 대 있으니까 너 편한 걸로 골라. 초보자니까 보쉬나 카처보단 헨리가 좋겠다."

"저기, 지금 무슨…? 배달 알바 일에 청소도 포함되나요?"

보라가 묻자 윤정은 그럴 줄 알았다는 듯 계약서를 들이밀었다. 제대로 보지도 않고 넘긴 두 번째 장에 "위치스 딜리버리 소속의 예비 마녀가 되어 일할 것을 서약함."이라는 문구가 적혀 있었다.

"계약서에 덜컥 사인하면 안 돼. 예비 마녀가 된 걸 축하한다."

오컬트 집단이었나. 보라가 멍한 표정으로 의자

에 앉은 채 뒷걸음질 치자 윤정이 손가락을 까닥거렸다. 휙, 의자가 윤정 앞으로 당겨졌다. 헐. 진짜 마녀인가 봐. 보라는 양 발목이 묶인 듯이 뻣뻣하게 일어났다. 윤정이 보여 준 계약서는 혼자 허공에 둥둥 떠 있었다. 보라가 눈을 찡그리자 계약서가 잘 읽어 보라는 듯 보라의 앞으로 다가왔다.

"예비 마녀는 다음과 같은 교육을 거친다. 사바스 1회 참석, 비행 안전 교육 두 시간 이수, 길 고양이 밥 주기 5회 시행, 청소기 분해 및 재조립 교육 2주에 한 번 이수."

사바스라면, 난 김사월 노래밖에 모르는데. 스마트폰으로 검색해 보니 '마녀들의 난교 파티'라는 안내가 나왔다. 난교요? 난교? 저 고등학생인데요? 보라가 경악한 눈빛으로 윤정을 보자 윤정이 또 한숨을 쉬었다.

"위키 꺼라."

넵. 보라는 스마트폰을 주머니에 집어넣었다. 윤정은 키보드를 두드려 행아웃 사이트를 띄웠다.

"사바스는 마녀들의 집회야. 요새는 모일 데가 없어서 행아웃으로 해. 이번 달은 마침 내일모레가 사바스네. 쫄지 말고, 밤 10시에 행아웃 들어오면 돼. 링크는 내가 보내 줄 테니까. 뭐 이상한 거 안 시켜. 통신 교육 같은 거지. 끝나고 문제 열 개 나오는데 여덟 개 이상 맞추면 이수 완료."

인강이야 뭐야. 아무튼 산에 올라가서 막… 그런 걸 안 해도 된다니 다행이네. 보라는 안도의 한숨을 내쉬었다. 윤정이 보라의 몸을 끌어당겨 커튼으로 가려져 있는 공간으로 밀어 넣었다. 거기엔 정말로 큼지막한 청소기 세 대가 나란히 자리를 잡고 있었다.

"이게 네 원동기야. 충전하면 보통 세 시간 정도 간다. 개조했으니까 마구 뜯어 보고 그러지 말고. 흡입력도 괜찮아. 역시 헨리가 좋나? 이거, 얼굴 그려진 거. 귀엽지? 앉아 봐. 승차감도 나쁘지 않아."

오늘 치 항마력은 이미 다 쓴 것 같았다. 보라는 될 대로 되라는 심정으로 귀여운 얼굴의 청소기 먼지 통 위에 털썩 앉았다. 정말 승차감 나쁘지 않네. 근데 왜 마녀가 빗자루가 아니라 청소기를 타고 다니지. 보라가 질문하자 윤정은 어깨를 으쓱했다.

"빗자루 타고 두 시간만 날면 사타구니에 물집 생긴다? 그런 게 취향이야?"

아닙니다.

"해도 졌으니 타 보자. 내가 앞에 타고 가면서 가르쳐 줄게. 안전 교육에 포함되는 거야."

아, 네. 윤정은 콧노래를 부르며 어디선가 노란색 청소기와 고스톱 담요 같은 걸 들고 나타났다. 윤정은 사무실 문을 잠그고 계단을 가볍게 걸어 옥상으로 향했다. 보라는 청소기와 담요를 들고 낑낑거리며 따라갔다. 아, 겁나 무겁다. 옥상은 으레 잠겨 있을 거라고 생각했는데 윤정이 손잡이를 돌리자 가볍게 열렸다.

초여름 하늘의 옥상은 초록색 바닥이 머금은 열기로 미지근했지만 뺨을 스치는 바람은 시원했다.

별도 보이네. 보라가 하늘을 올려다보는 동안 윤정은 청소기 여기저기를 만지더니 헬멧을 썼다. 보라도 풀 페이스 헬멧 하나를 받아 썼다. 윤정은 보라가 헬멧을 제대로 썼는지 톡톡 두드려 보고 담요처럼 보였던 망토를 보라에게 입혔다.

"이건 은신 망토야. 입은 사람의 존재를 지우지. 안 보이게만 하는 거라 발자국을 숨기거나 할 수는 없지만, 우리는 하늘을 날 거니까. 뒤에 타."

저보고 이 청소기에 타라고요. 하지만 여기까지 온 이상, 될 대로 되라지. 전동 킥보드로 시속 20km까지는 몰아 본 몸이다. 보라가 윤정의 뒤에 앉아 허리춤을 붙잡았다. 윤정은 킥킥 웃더니 발로 땅을 세 번 구르고 "날아!"라고 명령했다.

그러자 청소기가 날았다. 둘을 태우고.

"와, 으아아아아아아아아!"

비명인지 함성인지 모를 소리가 보라의 입에서 튀어나왔다. 옥상이 순식간에 손바닥만 하게 작아졌다. 윤정은 꽉 잡으라며 속도를 높였다. 이거, 진짜, 바람, 완전 세! 망토를 둘렀고 헬멧까지 썼는데도 맨팔과 맨다리를 때리는 바람이 날카로웠다. 옥상에서부터 저 멀리 수내역 앞 롯데백화점까지 날아갔다가 돌아오는 데는 10분도 채 걸리지 않았다. 땅에 내리자 보라의 두 다리가 후들거렸다. 윤정이 헬멧을 벗겨 주자 그제야 따뜻한 공기 안에서 제정신이 돌아왔다.

"내가 낸 속도는 시속 40km. 넌 예비 마녀니까

시속 15km까지만 허용이야! 어때. 이제 좀 아르바이트를 하고 싶은 생각이 들어? 들지?"

백발이 절반쯤 섞인 머리카락을 휘날리며 윤정은 싸움터에서 개선한 전사처럼 팔짱을 끼고 크게 웃었다. 보라는 옥상 바닥에 주저앉아 고개를 끄덕였다. 이번에는 윤정이 끄덕이게 한 게 아니라, 오로지 보라의 자의였다.

"청소기 드느라 수고했어! 네 건 이것보다 가벼워. 이제 내려가자."

옥상으로 올라가는 비상계단 바로 앞의 위치스 딜리버리 사무실. 이래서였나. 다시 사무실 안으로 돌아와 종이컵에 따른 냉수를 마시며 보라가 물었다.

"옥상 문은 어떻게 열어요? 그것도 마녀니까 할 수 있는 거예요?"

윤정이 고개를 갸웃거렸다.

"<엑시트> 안 봤어? 옥상 문 잠그면 불법이야. 비상시 대피로라서."

"안 봤는데요."

"그래? 그럼 봐. 윤아가 엄청 잘 뛴다. 따따따 따따 따 따따따."

다리가 진정되면 알아서 가라며 윤정은 청소기를 들고 가림막 뒤로 사라졌다. 보라는 다시 사무실 안을 둘러보았다. 택배 박스, 동물 간식, 마녀, 그리고 청소기.

꿀알바까지는 아니어도, 좋을 것 같았다.

3. 첫 배달은 애플망고치즈빙수

그 후로 장마인지 사흘 동안 줄창 비가 왔다. 보라는 위치스 딜리버리에 가서 안전 교육을 받고 동물 간식을 포장했다. 사바스는 기대했던 것과는 달랐다. 뭐라고 해야 하나, 외국어 동영상 강의? 아이슬란드 마녀와 이탈리아 마녀와 한국 마녀 등등이 영어로 한 시간 동안 떠들어 댔다. 자동으로 번역해주는 옵션이 없었으면 냅다 자 버렸을 거다. 수확이라면, 글쎄. 어디나 마녀가 살기에는 영 좋지 않다는 걸 알았다는 정도일까. 끝나고 나오는 열 문제 중에서는 아홉 문제를 맞혔다. 한 문제는 틀렸다. 아, 내가 발푸르기스 축제 기념품이 뭔지 알 게 뭐야.

그 외의 자잘한 실용 지식들은 윤정의 사무실에서 배웠다. 용적률과 건폐율이라거나 야간 비행 시 주의해야 하는 새들. 건물 한 층의 높이를 일반적으로 4m라고 했을 때 판교의 빌딩 높이는 대충 평균 몇 m다. 고도 2,000m 이하에서 생기는 구름을 하층운이라 한다. 1,000m 높이로 올라갈 때마다 기온이 6도 정도 떨어지므로 옷 잘 챙겨 입고 다녀라 등등.

별로 즐겁지 않은 사실도 배웠다.

"은신 망토요, 사람의 존재를 지운다는 게 무슨 뜻이에요?"

윤정은 동물 간식 주문서를 뽑다가 보라를 흘끔 돌아보았다.

"말 그대로야. 은신 망토를 입고 있으면 시간이 지날수록 주위 사람도, 너도 네가 누구인지 점점 잊어 가. 자정에 사용 시간이 갱신되는데, 하루에 두 시간 이상 망토를 입고 있으면 너는 세상에서 사라져. 없는 사람이 되지. 다른 사람이랑 같이 덮어쓰면 더 빨리 사라지고."

"뭐야, 끔찍해. 그런 걸 왜 만들었어요?"

치직 치직, 잉크젯 프린터에서 종이가 나오는 소리를 듣던 윤정은 나지막하게 말했다.

"꼬리를 잘라야 할 때 써."

"네?"

종이를 모아서 탁탁 치며 윤정이 계속 말했다. 눈은 보라에게 향해 있지 않았다.

"마녀가 잡힐 때가 있어. 붙잡힌 마녀가 동료 마녀를 대라는 압박을 받으면서 고문당할 때… 우리는 몰래 은신 망토를 건네줘. 그러면 잡힌 마녀가 그걸 입고 빠져나가 호수 같은 데로 가서 숨는 거야. 다음 날 아침이 오면 그 마녀는 모두에게 '없는 사람'이 돼."

"없는 사람이 되면 아예 누가 잡혔다는 것까지 잊히는 거 아녜요?"

"망토가 남으니까. 이리저리 다니며 그런 걸 수집하는 떠돌이들이 있지. 은신 망토가 발견되면 우리는 생각하는 거야. 아, 누군가 죽었구나… 하고."

윤정은 의자를 끌어다 앉았다.

"어쩔 수 없어. 모두가 살아남으려면, 발각된 꼬리는 잘라야 해."

그리고 보라를 보며 웃었다.

"넌 예비 마녀니까 그런 걱정 안 해도 돼. 내가 너를 묶었으니까, 내가 지킬 거고."

"아, 어, 네."

묶는다는 게 뭔지는 잘 모르겠지만, 음침한 얘기를 들어 버렸네. 보라는 고개를 숙이고 택배 상자에 송장을 붙였다.

나흘째 되던 날, 하늘이 맑아졌다. 생활복으로 갈아입은 보라를 윤정이 손짓해 불렀다.

"배달 나갔다 와. 서현역 근처에 설빙 있는 거 알지? 이매촌사거리 쪽."

"네."

"애플망고치즈빙수 하나. 일단 네 돈으로 사 가면 받는 사람이 현금을 줄 거야. AK플라자 빌딩 높으니까 거기로 질러가지 말고 좀 돌아서 가라."

방금 뭐라고요?

"네? 빙수요?"

"일이라니까. 요새는 다 테이크 아웃 된다고."

아니, 음. 그래도 빙수… 첫 배달이 빙수…. 네. 건당 만 원인데 제가 뭘 어쩌겠어요. 보라는 옥상으로 청소기를 들고 올라갔다. 헬멧, 망토, 청소기 충전 확인. 자, 이제 출발이다. 보라는 발로 세 번 땅을 구른 다음 크게 숨을 들이마시고 외쳤다.

"날아!"

청소기가 하늘로 떠올랐다. 고도 420m. 그런데 설빙 있는 건물 옥상에 청소기 세울 수 있나? 시속 15km로 날아가며 보라는 '주차난 문제가 남의 일이 아니네.'라고 생각했다. 다행히 가까운 건물 옥상에 청소기를 세울 수 있었다. 보라는 여유롭게 애플망고치즈빙수 포장을 주문했다.

"정말 잡탕이다. 빙수에 치즈."

보라가 혼잣말을 하면서 씁쓸한 표정을 지은 이유는, 빙수값이 자신의 한 건 배달료보다 비쌌기 때문이었다. 어디 보자, 목적지는 송림고등학교 근처. 옥탑방이네. 보라는 땀투성이가 된 몸에 다시 헬멧과 망토를 착용했다. 덥다고 벗어 버리면 비행하다가 떨어져 여고생 투신 어쩌고로 보도될 거라는 진실에 가까운 협박을 귀가 따갑도록 들었으니까. 옥탑에 내려앉아 보라는 초인종을 눌렀다.

"빙수 배달요."

"아, 잠시만요! 잠깐만요!"

푸드덕푸드덕, 끼엑끼엑, 야옹야옹. 온갖 괴상한 소리가 옥탑방 안에서 들렸다. "가만히 좀 있어~"라는 달래는 소리도 함께. 뭐야, 대체 뭐 하는 사람이야. 아연실색하는 보라의 앞에서 문이 반쯤 열렸다.

"제가 지금 나가기가 좀 힘들어서. 안으로 잠깐 들어오실래요?"

슬쩍 문틈으로 보니 여자의 배는 확연하게 부풀어 있었다. 임산부야? 나 지금 입덧 음식 배달한 거야? 뭔가 선행한 기분이네. 보라는 빙수를 들고 옥탑방 안으로 들어갔다.

방 안은 그야말로 개판이었다.

"와~ 이거 진짜 먹고 싶었는데, 제가 몸도 이렇고 우리 박쥐들도 몸 풀 때가 되어서 도저히 나갈 수가 없지 뭐예요. 배달 서비스가 있어서 다행이야. 어, 그쪽도 드실래요? 나 심심한데."

"근무 중인데요…."

보라의 뜨악한 대답에 여자는 그런 건 걱정하지 말라는 듯 손사래를 쳤다. 그리고 스마트폰을 꺼내 곧장 전화를 걸었다.

"윤정 언니, 완전 감사! 빙수 왔어. 나 배달원하고 먹어도 되지? 요즘 사람 못 만났단 말야. 응응. 알았어! 10시까지 보낼게!"

이 사람도 사장님을 아는 건가. 보라는 밥숟가락으로 빙수를 푸며 집안을 둘러보았다. 고양이가 한 마리, 캣 타워, 저긴 뭐… 천장에 암실 같은 게 있네. 여긴 대체 뭐 하는 집이야. 보라가 숟가락을 입으로 나르며 물어보았다.

"뭐 하는 분이세요?"

여자는 태동을 느끼려는 듯 배에 한 손을 얹고 있다가 대답했다.

"마녀고, 임산부고, 번역 일 해요! 아, 애 아빠는 없어요."
"혹시, 죽이셨-"
"무서운 소리 하긴. 사고로 죽었어요. 애는 9월쯤 나와요."

9월이라. 그때면 씨엘즈 콘서트 할 테니까 알바 끝난 뒤겠네. 암실 쪽에서 푸드덕푸드덕 소리가 들렸다. 박쥐라고 했나? 박쥐랑 고양이가 한 집에서 산다는 게 제일 신기하네. 고양이는 어슬렁어슬렁 돌아다니다 여자의 무릎에 고개를 얹고 골골거렸다.

"박쥐를 주웠는데, 정들어서 키우게 됐지 뭐예요~ 아휴, 몸집도 엄청 작아요. 손바닥만 해. 집 안 벌레도 다 잡아먹어요. 얼마나 귀여운지. 볼래요? 아, 지금은 좀 예민하겠다. 다음에 또 오면 보여 줄게요! 내가 말이 좀 많죠? 아하하하. 집 안에서 일하다 보니 사람을 만나는 일이 드물거든요. 반가워서 그래요."

네. 많이 반가우신 것 같아요. 도둑이 들어와도 친구 맺으실 것 같네요. 박쥐 한 마리가 암실에서 빠져나와 여자의 어깨에 앉았다. 고양이는 이런 상황이 익숙한 듯 박쥐를 한 번 쳐다보고 무심하게 고개를 돌렸다.

"마녀죠? 위치스 딜리버리에서 일하니까. 이렇게 어린 마녀는 처음 봐요."

"아직 예비예요."

"그렇구나~ 반갑다. 저기, 패밀리어 하나 안 키울래요? 지금은 몰라도, 진짜 마녀 되면 하나 키워야 되거든요. 박쥐가 되게 똑똑해서 키우면 좋을 텐데. 우리 아랑이가 손님 보고 싶어서 이렇게 나온 것도 인연이고. 근데 아랑아, 언니 어깨 발톱으로 잡지 마라~"

패밀리어라. 마녀가 데리고 다니는 애완동물이 있다고는 들었다. 영화에서도 부엉이나 고양이 같은 걸 키웠지. 하지만 우리 집에선 애완동물 못 키우니까.

"아파트라 못 키워요. 바로 옆이 소방서라, 시끄럽기도 하고."

"아깝다~ 그래도 패밀리어 필요하면 꼭 연락해요. 사지 말고 입양하세요~"

누가 이런 괴악한 메뉴를 먹느냐고 생각한 것도 잠시, 빙수는 30분도 되지 않아 다 없어졌다. 10시 전까지는 돌아가야 한다고 보라가 일어서자 여자도 일어섰다. 키가 보라보다 한 뼘쯤 작은 여자는 울망울망한 표정으로 보라를 올려다보았다.

"있지. 윤정 언니가 오래 살아서 까칠하긴 해도 좋은 사람이에요. 알바 힘내요."

토닥토닥 등을 두드려 주는 손길이 다정해서 보

라는 더 당황스러웠다.

마녀들은 원래 이렇게 성격이 제각각인 걸까.

다시 위치스 딜리버리로 돌아오니 윤정은 택배 상자들을 한쪽에 접어 놓고 있었다. 보라는 청소기와 은신 망토를 제자리에 두고 윤정 옆으로 다가갔다.

“사장님, 물어볼 게 있는데요.”

“응? 가야가 또 이상한 소리 했나. 가야 엄청 수다스럽지.”

아, 그 여자 이름이 가야구나. 서로 이름도 안 물어봤네. 하긴 워낙 정신없었어야지. 보라는 고개를 젓고 윤정 옆에 쪼그려 앉았다.

“가야 씨… 가 사장님 오래 살았다고 하는데, 사장님 몇 살이에요?”

윤정이 “이상한 소리 하지 말라니까 또 했어.”라며 투덜거리고는 보라의 눈을 들여다보았다.

“그거, 선배 마녀에게 묻는 후배의 질문이니?”

“글쎄요…. 아, 아, 맞다. 기본 교육 때 배웠지.”

보라는 교육 때 배운 ‘선배와 후배’ 마녀 사이의 규칙을 되짚었다. 선배의 이름을 부르고 질문을 하면 선배는 반드시 그 질문에 사실을 답해야 한다. 반대로 선배가 후배의 이름을 부르고 명령하면 강제력이 높아진다.

“규정대로 해 봐.”

“네. 소윤정 선배님, 선배님 몇 살이에요?”

보라가 자신 있게 묻자 윤정은 택배 박스 하나를

더 접으며 퉁명스럽게 대답했다.

"저기 수원에 화성 지어질 때. 그때부터 마녀였어. 주민등록 제도 생기고 나서는 그냥 적당히 등록해서 나도 내 나이 정확히 몰라. 중요하지도 않고."

수원 화성이 정조 시절에 지어진 거니까 18세기…잖아.

"동안이시네요."

보라의 입에서 엉뚱한 말이 튀어나왔다. 윤정은 피식 웃더니 택배 박스나 접다 가라며 손을 튕겨 접지 않은 박스들을 끌어왔다.

"가야는 건강하든?"
"9월에 출산하신다던데요. 결혼한 마녀는 처음 봤어요."
"걔 결혼 안 했어. 남자한테 자기 마녀라고 고백하려고 한 다음 날 남자가 벼락 맞아 죽어 버렸거든."

무서운 얘기를 아무렇지도 않게 하는 윤정을 보며 보라는 박스를 접었다.

"애 낳지 말라니까, 그래도 굳이 낳겠다고 해서 가끔 살펴나 주는 거지. 가야 걔는 50년도 안 살아 보고 겁이 너무 없어."

보라는 박스 하나를 밀어 놓으며 생각했다. 그래도 걱정되시나 봐요. 하지만 그 말은 안 하기로 했다. 아무래도 윤정은 정들면 밀어내 버리는 사람 같다는 생각이 들었다. 18세기부터 살아왔으면 그럴 만하겠다는 생각도 들었다. 마녀라서 오래 사는 거라면 마녀 아닌 사람들이 죽는 것도 엄청 많이 봤겠지. 나는 장례식에 가 본 적도 없는데. 10시까지는 20분이 남아 있었다. 보라와 윤정은 묵묵히 박스를 계속 접었다. 하나, 둘, 무언가를 싣고 어디론가 떠날 박스들이 높이 쌓였다. 여기는 지나가는 곳이지. 10시가 되어 보라가 일어섰을 때, 윤정이 그렇게 말했다.

"여긴 지나가는 곳이야. 너무 신경 쓰지 마."

"네."

집으로 돌아가자 엄마가 문을 열고 나왔다. 아르바이트는 잘 되냐는 말에, 보라는 "그럭저럭."이라고 대답하며 화장실로 들어갔다. 세수를 하고 나오니 엄마가 테이프 클리너를 들이댔다.

"어휴, 온몸에 털 묻은 거 봐라. 개 껌 포장한다면서. 거기 개 키우니?"

으으음. 개털 아니라 고양이 털인데. 보라는 클리너를 받아 바지와 윗옷에 대고 문질렀다. 아이고. 빼곡하게 털이 묻어 나왔다. 테이프를 떼어 가며 보라의 등을 몇 차례 더 문지른 엄마가 재채기를 했다.

"에취! 알바 좋으면 엄마한테도 좀 소개해 달라고 할까 했는, 에취! 안 되겠다, 야."

엄마. 그건 무리야. 엄마는 모태 신앙 개신교도잖아. 하지만 그 말을 농담으로라도 하려는 순간 혀가 뻣뻣해지고 손가락 끝이 따끔거렸다. 엄마는 얼른 옷 벗고 자라며 보라를 방으로 떠밀었다. 방에 들어와 문을 닫고 보라는 혀를 날름거려 보았다. 잘 움직인다. 아까는 왜 그랬던 거지? 비밀 유지 주술인가? 이러면 아무한테도 말을 못 하겠네. 주은이한테는 말하고 싶었는데.

주은이는 지금도 바쁘겠지. 보라는 속이 답답해지는 것을 느끼며 방의 불을 껐다.

주은이가 재미있어할 텐데, 아쉽네. 주은이한테 거짓말한 적 한 번도 없는데.

내가 마녀라고 말해도 믿어 줄지 모르겠지만.

보라는 나른한 졸음이 온몸을 감싸는 것을 느끼며 눈을 감았다.

4. 반짝이는 밤 풍경과 내가 주운 금발 천사

어느덧 아르바이트를 시작한 지도 한 달이 넘었다. 보라는 습한 공기 속을 진공청소기를 타고 날며 흘끔흘끔 아래를 내려다보았다. 참 신기하기도 하지. 속도는 자전거로 가볍게 달릴 때와 크게 다르지 않은데도 하늘에서는 참 많은 것들이 보였다. 현재 고도는 약 450m. 밤 9시 20분. 반짝반짝, 불이 꺼지지 않는 판교 테크노밸리. 탄천을 건너 오가는 사람들. 차선을 아슬아슬하게 넘나드는 오토바이들. 소 사장님은 아래에 신경 쓰지 말라고 했지만 내가 사는 곳이 저렇게 보이다니, 신기해. 오늘은 날이 흐려 하늘을 보는 사람도 적을 것이다. 보라는 한창 행복주택 공사 중인 곳을 지나 봇들공원에 착륙했다. 망토를 벗고 진공청소기를 숨기자 그늘에서 기다렸다는 듯 키 작은 여자가 튀어나왔다.

"드링크 배달 빨리 왔네!"

반색하는 여자의 이름은 지원. 이곳 테크노밸리에

입주한 사무실에서 자연어 처리를 연구하는 AI 개발자라고 했다. 보라가 드링크를 담은 텀블러를 내밀자 지원은 꿀꺽꿀꺽 단숨에 반 정도를 마셔 버렸다.

"그거 천천히 마시랬는데요."

윤정의 주의 사항이었다. 벌컥벌컥 들이키면 쇼크 올 수도 있다고. 그러거나 말거나, 크아, 소리를 내며 입가를 닦은 지원은 텀블러 뚜껑을 닫았다.

"카페인과 타우린에 찌든 몸에겐 별거 아냐. 아, 죽겠다. 기획서 시즌 너무 싫다."
"뭘 기획하는데요?"

보라가 묻자 지원은 기지개를 쭉 켰다.

"말이야, 말. 사람들이 말하는 걸 듣고 무슨 내용인지 알 수 있게 분석해 주는 거."
"재밌어요?"

지원이 이번에는 허리를 굽혀 스트레칭을 시작했다.

"뭐어, 돈 주니까 하는 거지. 마녀도 돈이 있어야 먹고 삽니다."

보라가 기묘한 표정을 짓자 지원은 눈썹을 치켜올렸다.

"왜. 뭐. 마녀는 월세랑 가스비랑 수도비랑 식비 안 드냐."
"마녀가 되어서 좋은 게 뭐예요 대체?"

이 일을 하면서 몇몇 마녀와 직접 대면도 했지만, 하나같이 삶에 찌든 사람들이었다. 뭐가 좋냐는 질문에 지원은 멍하니 하늘을 쳐다보았다.

“하늘 날잖아.”

보라는 어이가 없었지만 한편으로는 납득했다. 하늘을 나는 건 즐거운 일이었다. 귀청을 찢는 비행기 소리가 있어도. 고도 분간 못 하고 날아드는 까마귀와 산비둘기가 있어도. 목표 금액 30만 원은 벌써 다 모아 가는데 그만둘 생각이 안 드는 걸 보면 하늘을 나는 일이 즐겁기는 한 것 같았다. 귓가로 지나가는 낮은 온도의 바람과 아득한 밤하늘. 구름과 별에 가깝게 날아가는 것. 보라가 끄덕이자 지원은 차가운 콜라 캔 하나를 보라에게 쥐여 주었다.

“나 들어가 봐야 돼. 2시엔 끝나는데, 윤정 언니한테 새벽에 태우러 오라고 조르고 싶다.”

“사장님도 비행해요?”

“윤정 언니가 남한 중북부 마녀 비행은 거의 다 가르쳤을걸? 되게 잘 타. 살아 있는 건 배달 안 한다고 자꾸 튕기지만. 윤정 언니 별명이 ‘비행의 마녀’야.”

사장님 오래 살았댔지. 진짜인가 보다. 지원이 돌아가고 보라는 청소기를 꺼내 다시 올라탔다. 그럼 이걸로 오늘 배달은 끝인가. 야경의 불빛은 야근으로 이루어져 있다는 게 뭔 말인지 이제 알 것 같네. 300m로 고도를 올리며 보라는 산길을 따라 나는 쪽으로 방향을 틀었다. 어쩐지 배달은 기본이고 수다 들어 주는 게 옵션 같아. 오늘도 벌써 20분이나 지체했어. 나무들을 발아래 두고 앞만 보고 날던 보라는 탐지계에서 울리는 경고 음성에 속도를 줄였다.

전방에 물체 발견.

풍선이나 새 같은 건가? 보라는 조금 더 다가가 보기로 했다. 아, 위험하면 피해 가지 뭐. 안일한 생각과 함께.

"아오 미친!"

보라가 발견한 건, 보라색 수면 잠옷을 입고 허공에 둥둥 떠 있는 어린아이였다.

이런 미친. 사람이 왜 하늘에 떠다녀? 그것도 이 시간에? 보라는 황급히 망토 안으로 잠든 아이를 끌어당겼다. 츠츳, 츠츳 돌아가던 초침이 츠츠츠츠 소리를 내며 빠르게 돌기 시작했다. 큰일이다. 두 명이 망토를 쓰면 사용 시간도 두 배로 차감되나? 아니, 어디라도 좋으니까 일단 내려가자. 이러다 들키면 얘도 나도 곤란하잖아.

보라는 봇들공원에 다시 내려 벤치 앞에서 조심스레 아이를 내려놓았다. 화물 통에 싣지도 않고 배달해 보기는 처음이네. 아이는 열서너 살쯤 되어 보이는 남자아이였고 호흡은 규칙적이었다. 금발 천사같이 예쁘게도 생겼네. 얘를 어떻게 깨우지? 때리나? 보라는 갈팡질팡하다 지원이 건네준 콜라 캔을 아이의 뺨에 가져다 대었다. 아이는 화들짝 놀라며 일어났다.

"뭐죠! 나 드디어 죽은 건가! 나 죽었어요?"

얼굴에 화색을 띄우며 죽은 거냐고 묻는 아이에게 보라는 무어라 대답해야 할지 잠시 고민했다. 애석하지만 살았다고 해야 할지, 다행히 살았다고 해야 할지. 아이는 보라가 말을 꺼내기도 전에 자신의 수면 잠옷을 내려다보고 뺨을 두어 차례 치더니 "실패야."라며 벤치에 무릎을 안고 앉았다.

죽는 데 실패했다는 건가. 하마터면 자살방조죄지을 뻔했네. 보라가 아이의 맨발 아래 망토를 깔아주자 아이의 큰 눈에 눈물이 그렁그렁 맺혔다.

"전 쓰레기예요. 죽는 것도 못해요. 감기약 열 알로는 부족했나 봐요. 더 먹었어야 하는데. 내가 부족해서 실패했어요."
"저기, 너 어떤 상태였는지는 알고 있어?"

보라가 조심스레 말을 걸자 아이는 "맞다!"라며 고개를 보라 쪽으로 돌렸다.

"저, 저 분명 옥상에서 잠들었는데! 어떻게 데려왔어요? 여기 봇들공원이죠?"

아아아아. 적어도 자다가 천장을 뚫은 건 아니었구나. 보라는 콜라 캔을 손안에서 굴리며 자초지종을 설명해 주었다. 하늘에 둥둥 떠 있는 걸 끌어 내려왔다는 말에 "대단해요!"라며 박수를 치던 아이는, 보라가 자신이 마녀인을 밝히자 다시 시무룩해졌다.

"마녀라서 절 구할 수 있었군요. 마녀는 좋겠다. 사람도 구하고…. 전 남자니까 마녀도 못 되고…."

구하는 게 전문은 아니고, 배달이 전문이란다. 보라는 뭐라 위로해야 할지 몰라 가만히 있었다. 모기가 윙윙거리며 날아들다가 아이 근처에 보호막이라도 덮인 듯 반대 방향으로 떠밀려 갔다. 입을 벌리고 그 광경을 지켜보는 보라에게 아이가 눈물 어린 눈으로 말했다.

"전 염동력자예요. 겨우 500g밖에 못 들지만."

이야기를 들어 보니 아이는 초능력자 집단 학교에 다니는 모양이었다. 이름은 미카엘. 엄마 성이 라씨라서 '미카엘라'라고 불리는 게 보통이라고 했다. 얼마 전 학년 테스트가 있었는데 능력 조절 부분에서 또 낙제점을 받았다고, 전교 꼴찌라서 콱 죽어 버리려 했다고 말할 때는 눈물이 뚝뚝 떨어졌다. 보라가 부모님은 안 계시는지 묻자 입학한 뒤로는 한 번도 만난 적이 없다고 미카엘라가 대답했다. 초능력자나 신동의 부모가 꼭 행복한 건 아니래요. 이걸 어떻게 주변 사람들에게 납득시켜야 하나, 아이를 어떻게 가르쳐야 하나, 이 아이를 내가 키울 수 있을까 걱정하다가 가끔 우리 엄마 아빠처럼 아이를 내던지기도 한대요. 나라도 그럴 거예요. 능력도 형편없는 애 따위, 평범한 아이보다 못한 거잖아요. 눈물을 닦으며 중얼중얼거리는 아이에게 보라는 무슨 이야기를 해야 할까, 고민했다. 초능력자도 신동도 아닌 내가 무슨 말을 해야 할까…. 아, 하나 있다.

"너 씨엘즈라고 알아? 내가 좋아하는 걸그룹인

데."

"아뇨. 저는 열등생이라 티비 못 봐요."

인권침해 아니냐. 보라는 스마트폰을 켜서 자신이 가장 좋아하는 멤버인 소아의 하트 움짤을 띄웠다. 예쁘다며 미카엘라가 탄성을 질렀다.

"내가 얘를 되게 좋아하는데, 연습생 생활만 8년을 했대. 다들 얘는 데뷔 못 할 거라고 그랬다더라. 근데 이거 봐, 이쁘지? 겁나 이쁘지?"

"예뻐요."

미카엘라가 눈물을 닦았다. 보라는 화면 속의 소아를 보며 계속 말했다.

"얘 아직도 춤은 진짜 못 춰. 그런데 데뷔 때랑 비교하면 장난 아니게 좋아졌어. 노력하면… 노력하면 분명 나아질 거야. 소아가 그랬어. 우주에서 짱 먹겠다는 각오로 노력하면 목표의 70%는 이룰 수 있댔어. 나도 그거 책상 앞에 써 붙여 놓고 힘내고 그래."

미카엘라가 고개를 끄덕였다.

"저 5년 동안 연습했는데 아직도 안 되거든요. 3년만 더 하면… 저도 이렇게 반짝반짝할 수 있을까요? 하트 그릴 때마다 주변에 빛이 보여요."

그건 움짤 만들 때 넣은 효과인데. 하지만 가끔은 거짓말도 필요한 법이지. 보라는 미카엘라의 어깨를 팡팡 치며 잘될 거라고 몇 번이고 말했다. 콜라 한 캔을 다 마신 미카엘라는 보라에게 꾸벅 고개를 숙였다.

야, 얘 정말 예쁘네. 초능력 연습 안 하고 아이돌을 해도 될 것 같은데. 보라는 인사를 받으면서도 아이의 금발과 흰 피부에 감탄했다. 그때 벤치 위에 올려놓았던 스마트폰이 진동했다. 헉, 사장님이다. 보라는 9시 55분이라는 시간을 확인하고 조심스럽게 전화를 받았다.

"보라 너 어디야? 왜 안 들어와?"
"아아아, 네! 지금 갈게요! 여기 판교예요. 배달하다가 뭘 좀 주워서요!"
"이상한 거 줍지 말고 빨리 와."

뚝, 전화가 끊기고 보라는 곤란하다는 얼굴로 미카엘라를 돌아보았다. 미카엘라는 히죽 웃으며 손을 흔들어 보였다.

"혼자 갈 수 있어요. 잘 가요. 누나는 이름이 뭐예요?"
"나? 강보라."
"보라 누나구나. 알았어요."

배시시 웃는 미카엘라를 땅에 두고 보라는 다시 날아올랐다. 돌아갈 시간이었다.

"애를 주워? 하늘에서?"

윤정은 보라에게 잔소리를 몇 마디 한 뒤 고개를 절레절레 저었다.

"김앤장 드림학교구만. 그 동네 초능력자 학교면."
"김앤장 뭐요?"

잔소리를 듣느라 정좌하고 있던 보라가 윤정을 올려다보며 물었다. 윤정은 담담한 표정으로 대답했다.

"김앤장 드림학교. 한국 초능력자 아동 보호 시설이야. 초대 설립자가 부부였지, 아마. 김말녀 선생님하고 장수상 선생님. 너도 배달 갈 일이 있을 거야."

아. 네. 보라는 정좌를 풀었다. 아이고, 다리 저려.

"배달 중에 한눈팔지 마. 너만 위험해지는 게 아니야."

윤정의 무심한 충고를 끝으로 하루 일이 마무리되었다.

시간을 돌려, 보라가 지원과 막 헤어진 직후. 지원은 '윤정 언니'에게 전화를 걸었다. 무표정한 얼굴로 신호음을 들으며 지원은 텀블러 밑에 숨겨져 있던 기록 장치를 들여다보았다. 윤정이 전화를 받자 지원은 사무적인 말투로 읊었다.

"이쪽으로 오던 중 고도 다섯 번 변경. 나랑 15분 전에 헤어졌는데, 기록 보니까 중간에 멈췄고 갑자기 착륙했어요. 언니, 아무리 예비 마녀라지만 얘 조심성이 너무 없는데. 네. 네. 알았어요. 어어의 마녀라고 부르지 말라니까요. 저 일하러 들어갈게요."

며칠 뒤, 보라는 윤정에게서 작은 노란색 돌 하나

를 넘겨받았다.

“이게 뭐예요?”
“니가 구해 준 왕자님이 보낸 선물이다. 소환 스톤이래. 어떻게 쓰냐면…”

왕자님은 뭐고 소환은 또 뭐지. 윤정의 설명을 들으며 보라는 열심히 머리를 굴렸다. 스톤이라. 으음. 왕자님. 음. 어. 아? 그, 드림학교 그 앤가?

“강보라, 설명 안 듣지?”

윤정이 보라의 눈앞에 손을 흔들었다.

“아, 들어요. 그래서 이게 뭐라고요?”
“그게, 크흡, 이 주문을 외치면 뭔가 강한 걸 소환한다는데, 내가 너무 민망해서 말은 못 하겠고. 여기 적어 줄게.”

보라는 윤정이 휴대폰에 입력한 주문을 보고 입을 막고 웃었다.

아, 이게 뭐야. 진짜.

“뭔가를 소환하는 건데, 그래도 마녀 제품이니까 엉터리는 아닐 거야. 잘 아껴 뒀다 써.”

별난 선물이었다.

5. 파손 주의 화물은 검사 필수

"파손 주의 딱지 붙은 건 따로 빼놔."

보라는 윤정의 지시대로 파손 주의 딱지가 붙은 상자들을 따로 한쪽에 쌓았다. 위치스 딜리버리의 화물은 대부분 청소기 먼지 통에 들어갈 만큼 작았다. 그럼에도 불구하고 손바닥만 한 상자부터 겨우 먼지 통 안에 들어갈 만한 상자까지 다양한 크기의 택배 박스에 파손 주의 딱지가 붙어 있었다.

"폭발물 같은 거 아니죠?"

전에 미카엘라가 준 돌을 보고 '폭발하거나 하지는 않을 것'이라고 장담한 것이 떠올라 보라는 넌지시 물어보았다. 뭐, 설마하니 폭발물을 택배로 배달시키는 사람이 있을 것 같지는 않지만, 마녀들이 이용하는 택배니까 혹시 모르지. 스스로 생각해도 이상한 질문이었다고 피식 웃는 보라의 귀에 윤정의 목소리가 날아들었다.

"폭발은 안 하지만 징그러운 것들이 좀 있어."

윽. 보라는 얼굴을 찡그렸다. 옛날 동화에 나오는 말린 두꺼비 같은 건가? 보라의 생각을 읽기라도 한 듯 윤정이 다시 말했다.

"아. 두꺼비나 독초 종류는 다른 배달 회사가 담당해. 그런 건 수입해야 하는데 우린 국내 배송만 하거든. 엄밀히 따지면 밀수라서 그쪽은 자본이 좀 많이 필요해."

윤정이 고글을 끼고 손전등을 들고 보라 쪽으로 왔다. 막 분류해 놓은 파손 주의 화물 상자를 집어 든 윤정이 손전등으로 상자 밖을 이리저리 비춰 보았다. 윤정은 고개를 끄덕이고 상자를 옆 바구니로 옮겨 놓았다.

"별거 아냐. 파손 주의 물품이라고 해도, 파손해선 안 된다기보다는 내용물이 보이면 좀 곤란한 것들일 뿐이지. 방금 그 상자에는 붉은 여우 발톱 자른 거 들었다. 사람 머리카락 좀 들었고. 아주 작은 상자는 손발톱이나 가죽 정도니까 걱정 안 해도 돼."

붉은 여우 발톱이라. 그, 국내 연구 기관들이 수없이 복원에 실패했는데 개장수가 번식을 성공시켰다는 그 동물의 발톱인 건가. 그 손전등은 뭐 엑스레이 도구라도 되나요. 징그러운 물건들에 어느 정도 익숙해진 보라는 다시 작업에 몰두했다. 그래. 손발톱이나 가죽 정도면 양호하지. 어쨌든 사장님이 그랬잖아. 살아 있는 건 배달 안 한다고. 그거면 된 거 아닐까. 밀수는 안 한다잖아. 보라는 파손 주의 딱지가 없는 일반 화물을 분류하다 낯익은 주소를 보고 손을 멈췄다.

"손이 논다."

윤정이 핀잔을 주자 보라는 상자를 살짝 흔들어 보았다.

"이거 제 친구가 시킨 건데요. 얘가 제 베프거든요."

호기심이 동했는지 윤정이 보라가 들고 있는 상자를 받아 들었다. 손전등도 쓰지 않고 배송지만 훑어본 윤정은 이상한 물건은 아니라며 보라에게 돌려주었다.

"샌드맨 캔들이네. 네 친구 불면증 있니?"

늘 퀭한 주은의 얼굴을 떠올리며 보라는 대답했다.

"네. 밤에 잘 못 자요. 학원도 엄청 다니고, 집에서 좀 들볶아서."

"그런 모양이다. 에휴, 오컬트 숍 물건 막 시키면 안 되는데. 플라세보 효과라도 있다면 좋겠네."

윤정의 말에 따르면 오컬트 숍은 위치스 딜리버리의 주 고객층이자 골칫거리였다. 괴상한 물건을 많이 맡겨서 돈이 좀 되었지만, 아무래도 찝찝한 것들이 있다 보니 그런 물건엔 파손 주의 딱지를 붙여 달라 신신당부한다고 했다. 아무튼 요즘 마녀들은 돈 벌려고 별걸 다 해. 300년 가까이 살아왔다는 마녀가 혀를 쯧쯧 차는 것을 본 보라는 "본인도 만만치 않으신데요."라고 하려다 입을 다물었다. 혀에 비밀 서약 주술이 걸려 있다는 걸 윤정의 입으로 확인받은 후로는 괜한 말을 꺼내기 전에 걱정부터 됐다.

"그러고 보니 너 벌써 일한 지 두 달 다 되어 간다. 돈 웬만큼 모으지 않았어?"

아차. 어느새 벌써 그렇게 됐다. 보라는 날아다니는 게 재밌다고 하려다가, 일하러 오지 놀러 오냐는 핀잔을 들을 것 같아 둘러댔다.

"콘서트 한 번만 할 거 아니잖아요. 새 앨범 나오면 사고, 그 외에도 뭐."

"그래. 나야 네가 배달 계속하면 편하지."

해가 져서 어둠이 깔리자 보라는 주은이 시킨 택배를 들고 일어섰다.

"서안아파트네요. 옥상에 놓고 오면 되죠?"

"그래. 딴 데로 새지 말고 빨리 다녀와. 오늘은 포장 분류 좀 많이 해야겠다."

나중에, 등 뒤로는 창문틀이 있고 눈앞에는 마녀 둘이 서 있는 상황이 되어서야, 보라는 생각했다. 그때 그 화물을 더 조사할 걸 그랬다고.

6. 머리카락 하나만 줄래?

샌드맨 캔들 배달 이후 며칠간은 주은의 혈색이 좋아 보였다. 뭘 시켰는지는 모르겠지만 잘된 일이네. 주은이 찡그린 얼굴을 하지 않게 되자 보라도 한결 마음이 놓였다. 그러나 열흘 정도가 지나자 주은의 눈 밑에 다시 검은 그늘이 선명해졌다. 머리카락도 푸석푸석해지고, 뭔가에 홀린 사람처럼 눈이 텅 빈 것 같았다.

"또 잠이 안 와? 잠 잘 오는 영상 같은 거 찾아봐 줄까?"

집으로 돌아가는 길, 보라가 주은에게 걱정스레 묻자 주은은 고개를 저었다.

"아냐, 지난번에 아로마 향초 샀는데 숙면 효과가 꽤 좋았거든. 그거 하나 더 사면 될 거 같아."

"그래, 효과 있으면 나도 소개해 주라."

걸어가던 주은이 갑자기 멈춰 섰다. 주위가 순식간에 싸늘해졌다. 주은이 아무 표정 없이 보라를 보고 중얼거렸다.

"넌 잘 자잖아. 난 네가 부러워 죽을 지경인데."

보라가 머뭇거리는 사이 싸늘했던 공기가 사라지고 다시 축축한 뜨거움이 돌아왔다. 방금 뭔가 이상한 일이 일어난 거 같은데, 착각인가? 보라는 슬쩍 주은의 팔을 잡았다. 팔이 핏기 없이 하얗고 차가웠다. 혈액순환이 안 될 때는 주물러 주면 좋대. 횡단보도 신호를 기다리는 동안 보라는 주은의 팔을 꾹꾹 주물렀다. 하얗게 손자국이 남았다 사라졌다. 더 마른 거 같은데, 밥은 제대로 먹는 건가. 보라보다 키가 작은 주은이 비스듬하게 보라를 올려다보았다.

"넌 내 걱정 많이 하네."
"덕친은 소중하니까!"

아직 씨엘즈 콘서트 표 값도 안 갚았잖아. 보라가 말하자 주은이 쿡쿡 웃었다.

"빨리 콘서트 가고 싶다. 우리 애들만 보면 그걸로 100일 숙면한 효과 날 것 같은데."
"그러게. 넌 잠 좀 잘 자라."

보라가 손을 떼자 주은이 발그레해진 팔을 보다가 보라를 향해 고개를 쳐들었다.

"내가 소중하면, 뭐든 해 줄 거야?"

어쩐지 싸늘한 그 말에 보라는 한 발 뒤로 물러나

고 싶어졌다.

"음, 내 생명에 위협이 되지 않는 선에서."
"치사해."

입을 삐죽거리고 주은이 앞을 보았다. 횡단보도 신호가 바뀌었다.

"좀 이상한데."

보라가 주은의 뒷모습을 보며 중얼거렸다.

일주일 후, 주은에게 가는 다음 화물이 도착했다. 보라는 파손 주의 딱지가 붙지 않은 상자를 보고 안심했다. 말하지 말까? 발신자는 전과 같은 오컬트 숍이었다. 밴시포켓. 이름을 단단히 머리에 새겨 둔 후 보라는 은근슬쩍 말을 꺼냈다.

"오컬트 숍이라는 거 많이 위험해요?"

윤정은 매출 전표에서 눈을 떼지 않고 대답했다.

"그런 데 물건은 보통 다 가짜인데, 위험한 것들이 있어. 요즘엔 공부 잘하게 해 주는 주술하고 라이벌 엿 먹이는 주술용품 많이 판다더라. 사람이 악의를 가져서 좋을 게 없잖아."
"특히 조심해야 하는 건요?"

윤정이 전표를 한 장 넘겼다.

"먹는 게 제일 위험하지. 소화되어 버리면 뭐가 저주 매개체인지 추적이 힘들고, 식품위생법 위반 상품이라서 그 자체로도 위험하고. 《위저드 베이커리》 안 봤어? 먹으면 그대로 증거인멸이야. 안 봤으면 꼭 봐라."

전표를 들여다보던 윤정이 뭔가 눈치를 챈 듯 보라를 넘겨다보았다.

"왜, 네 친구가 또 뭐 시켰어? 파손 주의 물품 주문자 명단에는 없는데."

"아, 네. 이거요."

역시 도움을 구하는 게 낫겠다. 윤정은 신중하게 고글과 장갑을 끼고 마스크까지 썼다. 지난번보다 훨씬 큰, 먼지 통 안에 간신히 들어갈 만한 상자를 손전등으로 꼼꼼하게 비춘 윤정은 마스크를 벗고 휴 하고 한숨을 내쉬었다.

"뭐야. 그냥 사람 머리네."

그냥이라뇨. 사람 머리는 취급 제한 품목에도 안 들어갑니까. 보라가 뭐라 말하려고 입을 벌리자 윤정이 손을 휘휘 내저었다.

"레플리카야. 플라스틱 장난감. 이거 부숴 봤자 사람 두개골도 안 나오니까 배달해."

다행이네. 보라는 청소기를 들고 옥상으로 올라가 헬멧과 망토를 썼다. 서안아파트 쪽으로 방향을 잡고 날던 보라는 눈앞이 순간 반짝이는 것을 느꼈다. 반짝임을 인식한 순간, 머릿속에 한 가지 의문이 스쳐 지나갔다.

주은이가 왜 장난감 머리 같은 걸 주문했을까.

그리고 정신을 차렸을 때, 하늘에선 비가 오고 있었다.

- 비가 오면 즉시 돌아와. 사람들 눈에는 허공에서 빗방울이 튕겨 나가는 걸로 보일 거야. 미끄러운 것도 위험하고. 번개라도 치면 더 위험해. 그러니까 꼭 기억해. 비가 오면 아무 데나 청소기 놔두고 돌아와.

사장님이 그렇게 말했는데. 그런데 나는 왜 누워 있지? 여긴 어디지?

눈을 뜨자 온몸이 저릿저릿하게 아파 왔다. 벼락이라도 맞은 걸까. 주머니에 있던 스마트폰 시계를 확인하니 9시 55분이었다. 흠뻑 젖은 옷이 무겁고 미지근하게 몸을 내리눌렀다. 잠깐, 옷이 젖었다는 건, 내 망토는 어떻게 된 거야?

보라는 욱신거리는 몸을 일으켜 앉았다. 망토를 쓴 채로 시간을 보냈다면 보라의 존재가 사라졌을 수도 있는 시간이었다. 8시가 되기 좀 전에 나온 것 같은데. 돌아갈 수 있나? 망토는 바로 옆에 얌전히 개져 있었다. 그 옆에는 청소기가 놓여 있었다. 안이 텅 빈 채로. 보라는 얼굴에 핏기가 가시는 것을 느끼며 자신이 어디 있는지 확인했다. 서안아파트 옥상이었지만 주은이가 사는 동이 아니었다. 보라는 천천히 자기 이름과 전화번호, 주민등록번호 등 신상과 관련된 정보들을 떠올렸다. 아직 잊지 않았다. 망토를 쓴 채로 두 시간이 지난 게 아니었다. 하지만 학교와 학년 반은 가물가물했다.

청소기를 옥상에 둔 채, 망토만 가지고 돌아와 보니 윤정이 심각한 얼굴로 모니터를 보고 있었다. 흠

빽 젖은 보라를 본 윤정은 눈을 몇 번 깜박거리다가 머리를 감싸 쥐었다. 머리가 아픈 듯 몇 번 꾹꾹 관자놀이를 누른 윤정이 가림막 너머에서 수건을 가지고 나와 보라에게 건네주었다.

"강보라, 맞지. 네 이름도 거의 희미해졌어."
"네. 맞아요."
"위치스 딜리버리 아르바이트생, 예비 마녀."
"맞아요."

울음이 터질 것 같은 얼굴을 수건으로 닦으며 보라가 대답했다. 정말로 지워질 뻔했어. 농담이 아니었어. 일단 옷부터 갈아입으라며 윤정이 건네준 트레이닝 복을 입으며 보라는 사라진 화물에 대해 생각했다.

"사장님, 저 화물 잃어버렸어요."
"알고 있어."

윤정은 화가 났지만, 보라가 화물을 잃어버린 탓은 아니었다. 윤정은 청소기를 두고 바로 온 건 좋은 판단이었다며 보라를 달래 준 뒤 상황을 물었다. 정신을 차려 보니 망토가 개켜져 있고 화물은 사라진 상태였다는 보라의 설명을 듣자마자 윤정은 으득, 이를 갈았다.

"청소기는 내가 가져올게. 비가 오기 전에 정신을 잃었다는 거지…. 정신 잃기 전에 뭐 이상한 일 없었어?"

보라는 눈앞에 반짝였던 빛을 설명했다. 윤정이 조용히 입술을 깨물었다.

“위치 추적용 파우더야. 이걸 묻히면 네가 어디 있는지 상대방이 볼 수 있지.”

“하지만 저 시속 15km로 날고 있었잖아요. 파우더가 어떻게…”

“상대방도 너랑 똑같은 속도로 날고 있었다면? 아니, 아예 네가 어떤 속도로 나는지 안다면? 너는 예비 마녀고 예비 마녀의 비행 속도는 정해져 있어.”

“지금 그러니까, 저를 공격한 사람이…”

윤정은 보라의 젖은 운동화를 가져와 브러시로 그 위를 문질렀다. 하얀 가루가 섞인 빗물이 브러시 아래 뭉쳤다. 윤정은 운동화를 내려놓았다.

“화물 분실이 아니라 누군가의 탈취야. 너, 마녀한테 공격당했어. 네가 배달한 화물 어디서 의뢰한 건지 기억나?”

“밴시포켓이요.”

“알았어. 대충 수법은 알겠어. 화물 하나를 보내고, 중간에 일부러 분실시키는 거야. 구입자는 점점 더 초조해지겠지. 그런 다음… 정말로 위험한 걸 보내는 방식. 초조함을 노린 거야. 너는 거기 말려들어 버린 거고.”

윤정이 보라의 두 어깨를 붙잡았다.

“미안해.”

어깨를 잡은 손의 힘과 다르게 가느다란 윤정의 목소리에 보라는 조금 놀랐다.

7. 관리 소홀

보라가 집으로 돌아간 뒤, 윤정은 파손 주의 화물 리스트를 다시 확인했다. 밴시포켓에서 보내는 물건은 없었다. 윤정은 다행이라고 생각했지만 한편으로는 자신의 무책임함에 화가 났다.

"관리 소홀이야."

자신이 맡고 있는 권역 안에서 사고가 일어난 적은 한 번도 없었다. 보라가 들어오기 전 화물은 전부 윤정 자신이 책임지고 배달했다. 이 땅에서만 300년 가까이 살아온 윤정을 감히 공격하는 마녀는 없었다. 그 안이함이 배달할 화물을 과하게 늘렸고, 아르바이트생을 채용하게 만들었다. 비록 성년도 되지 않은 예비 마녀지만 안전할 거라고 생각했다. 지금까지 안전했으니까. 보라가 배달하기 위험한 물건들은 밤중에 윤정이 직접 처리했으니 보라에게 무슨 일이 일어날 거라고 생각한 적은 없었다.

"감히 내 땅에서."

성남시는 윤정의 영역이었다. 누구도 침범하지 않았다. 어차피 마녀의 수는 점점 줄어들고 있었다. 예전이라면 상상도 하지 못했을 직장인 마녀, 자식을 낳는 마녀들이 늘어났다. 그래도 괜찮다고 생각했다. 마녀라는 집단을 유지하기 위해서는 머릿수가 필요했다. 예비 마녀 제도를 이용하긴 했지만 윤정에게는 보라를 정식 마녀로 채용할 생각이 처음부터 없었다.

필요할 때 적당히 쓰고 버리면 그만이지. 인간의 몸은 수없이 많은 주술 재료를 생산해 낸다. 머리카락, 손톱, 발톱, 상처에서 떨어지는 딱지와 각질. 인간의 몸에서 나오는 모든 것들은 주술의 재료가 될 수 있다. 처음 보라가 이 사무실에 왔을 때 윤정이 먼저 본 것은 보라의 머리카락과 손가락, 발가락 길이였다. 이 정도면 얼마나 많은 약과 도구를 만들 수 있을까. 기절시킨 다음 필요한 것을 모두 잘라내고 나면 은신 망토를 덮어씌워 사라지게 만들 생각이었다. 그러면 존재하지 않는 사람이 된다. 사람을 죽이는 것도 아니잖아. 상관없잖아. 필요하다면 보라의 신분만 적당히 남겨 윤정이 그 신분으로 살아갈 수도 있었다. 이미 해 본 일이다. 주민등록제도가 시행된 지 50년이 넘게 지났는데 반백발의 외모로 그 오랜 세월을 버틴다는 것은 불가능했다. 몇 명의 사람을 꼬여 내고, 신분을 취한 후에 버렸다. 다들 허망한 눈을 하고 있었다. 약간의 행복과 쾌락을 준 뒤 지워 버리면 그만이었다.

그런데 어째서 보라 그 애는 그렇게 반짝거리는

눈을 하고 있을까.

아이돌이라는 게 그렇게 사람을 신나게 하나. 어차피 사라질 것들. 필멸자들. 어른이 되면 부끄럽게 생각할 과거들. 그렇게 생각하며 비웃어 왔다.

하지만 다들, 이상하게, 보라를 좋아했다. 가야도, 지원도 보라를 믿기는 어렵다고 했지만 나쁜 아이는 아니라고 판단했다. 가야나 지원이 어리긴 했다. 50년도 살지 않은 인간의 신뢰를 판단 기준으로 삼기엔 무리가 있었다. 하지만 그렇다고 해도.

"감히, 내가 묶은 예비 마녀를."

사바스가 뭔지도 모르는 핏덩이이긴 하지만 엄연히 윤정의 아래로 등록된 예비 마녀를 해치려고 했다. 목숨을 빼앗을 수는 없었을 것이다. 예비 마녀를 죽인 죄는 마녀들 사이에선 대역죄. 누구에게 살해를 당해도 할 말이 없다. 그렇기에 예비 마녀와의 계약을 파기하는 것도 오로지 묶은 자의 몫. 피치 못 할 사정으로 예비 마녀의 목숨을 거둬야 한다면 그를 예비 마녀로 만든, 예비 마녀와 묶인 자가 거두는 것이 암묵적 룰이었다.

만약 예비 마녀가 묶은 자 외의 인물 때문에 다치거나 살해당한다면, 묶은 자는 남은 생명의 절반에 준하는 타격을 받는다.

그러나 계약을 파기하고 나면, 그 뒤로는 평범한 남남.

세포 하나하나까지 쓸 만한 부분을 쥐어 짜낸 후 버릴 생각이었다.

예비 마녀 따위 거둘까 보냐. 예전에는 나도 몇 번은 마음이 흔들렸지. 하지만 전쟁 통에, 난리 통에 서로 묶인 사이라고 보호하다가 죽는 걸 한두 번 봤어야 말이지. 지겨워. 이모나 조카, 할머니나 손녀로 위장하고, 서로를 위해서 거리낌 없이 목숨을 내놓는 짓 따위.

난 절대 안 해.

윤정은 화물을 배달하고 나서 다시 사무실로 돌아왔다. 밴시포켓이 어딘지 찾아야 했다. 윤정은 파손 주의 딱지가 없는 화물을 다시 살폈다. 있다. 세 개. 윤정은 배송지로 등록된 밴시포켓의 홈페이지에 들어갔다. 파는 물건은 대단하지 않았다. 운이 좋아지게 해 주는 향수나 건강에 도움을 주는 원석 종류. 식품은 팔지 않았다. 그렇다면 무엇 때문에 가짜 머리를 팔고 다시 훔친 거지? 샌드맨 캔들 메뉴에 들어가 봐도 별다른 설명은 없었다. 단지 가격이 비싸서 쌓을 수 있는 마일리지가 많다는 점 정도가 특이했다.

"내키진 않지만."

윤정은 손전등을 켜고 밴시포켓이 보낸 물건들을 꼼꼼히 살폈다. 향수가 두 개, 캔들이 하나. 캔들이 문제일까? 윤정은 박스를 조심스럽게 뜯어 샌드맨 캔들을 꺼냈다. 겉에 음각으로 새겨진 도형들을 제외하면 평범한 양키 캔들처럼 보였다. 비슷한 걸 구하기는 어렵지 않겠네. 도형도 그냥 시늉일 뿐이고. 윤정은 샌드맨 캔들에 손가락을 튕겨 불을 붙였다. 가느다란 심지가 타오르다가 훅, 짧은 순간 불꽃이 길어졌다. 순식간에 불꽃은 다시 작아졌지만, 윤정은 불꽃 안의 그것을 똑똑히 볼 수 있었다.

윤정은 일그러진 얼굴로 촛불을 껐다. 이 제품은 전달할 수 없다.

“몽마잖아.”

사람의 악몽을 빨아 먹는 것들. 악몽을 꾸려면 잠을 자야 한다. 이 캔들이 사람을 잠들게 해 주긴 하지만, 그 잠은 결코 평안하지 못 할 것이다. 편안한 수면을 빼앗긴 몸은 이내 말라비틀어질 테니까.

이런 걸 팔았다니. 밴시포켓, 뭐 하는 데야.

내친김에 윤정은 차를 몰고 등록된 사업장 주소지로 달렸다. 윤정의 구역은 성남시다. 마녀는 자기 구역이 아닌 곳에선 비행을 할 수 없다. 사업장이 파주라, 멀기도 하네. 꼬박 한 시간 이상을 달려 도착한 윤정은 폐공장 앞에 섰다.

“아무것도 안 느껴지는데.”

그렇다면 위장 등록이군. 윤정은 까드득, 손톱을 깨물었다.

“만약 진짜 사업장 소재지가 성남이면, 귀찮아지는데….”

성남은 윤정의 권역. 어느 마녀든 성남에서 뭔가 하려면 윤정의 허가를 받아야 했다. 굳이 사업장 주소가 성남이 아니더라도, 이런 물건을 자신의 권역에서 팔아 댄다는 건 일종의 도전이라 보기에 충분했다.

누군지 모르겠지만, 죽었다고 복창해라.

8. 두 번은 당하지 않아

보라는 초췌함이 가시지 않는 주은의 안색을 보며 초조해했다. 주은은 신경질이 늘었다. 배달 사고 다음 날은 계속 손톱을 물어뜯어 대서 보라가 그만 좀 하라고 어깨를 흔들어야 했다. 하루는 좀 나아졌다. 그리고 다시 하루, 또 하루. 시간이 흘렀다. 주은은 여전히 초췌해 보였지만 조금 기뻐 보이기도 했다.

"오늘은 좀 나아 보인다."

앞머리에 헤어 롤을 달고 있는 주은을 보며 보라가 말했다. 주은은 "물건이 잘 왔어."라며 보라의 앞머리에도 헤어 롤 하나를 달았다. 이거로 머리 말고 픽서 뿌리면 뽕이 장난 아니게 나와. 수다스러운 주은을 오랜만에 본 보라는 그러려니, 하며 웃어넘겼다. 아이들이 몇 명 더 와서 헤어 롤과 픽서를 빌려 달라고 했고 주은은 흔쾌히 내주었다. 쉬는 시간이 끝나자 보라는 헤어 롤을 빼서 주은에게 돌려주었다. 빠진 머리카락 몇 가닥은 덤이야, 주은아. 정말로 픽서는 앞머리를 볼륨 좋게 유지해 주었다.

보라가 앞머리를 매만지자 주은이 머뭇거리듯 물었다.

"보라 너 요새 잘 자? 아르바이트 많이 피곤하지 않아?"
"나야 잘 자지. 일하니까 잠 잘 와."
"그렇구나. 다행이다."

수업이 모두 끝나 집으로 가려던 보라는 배가 아파 화장실로 향했다. 아, 씨. 가방이라도 놓고 올 걸 그랬나. 꾸르륵거리는 뱃속을 한바탕 쏟아 낸 보라는 손을 씻다가 스마트폰이 없어진 걸 알아차렸다. 책상 서랍에 뒀나 보네. 강보라 멍청하다. 아직은 밝기만 한 복도를 걸어가 교실 앞에 도착한 보라는 문 앞에서 숨을 멈췄다.

교실 안에 주은이 혼자 있었다.

안 가고 뭐 해, 라는 인사를 건네기에는 주은의 분위기가 이상했다. 주은은 헤어 롤을 살피며 중얼거리고 있었다. 귀를 기울이자 작은 목소리가 사박사박 보라의 귀로 걸어 들어왔다.

"이것도 중간에 끊어졌어. 이건 내 머리카락이네. 이건 보라 게 아냐. 보라가 썼던 건 이거야. 머리가 많이 안 빠졌네. 이것도 아냐. 왜 없을까. 바닥을 살펴볼까. 아냐. 조금만 더…"

헤어 롤에 붙은 머리카락을 하나하나 손톱으로 빼내며 중얼거리는 주은의 목소리에 보라의 등골

이 오싹해졌다. 휘청거리는 다리를 버티려 보라가 교실 문을 단단히 잡자 끼이이, 문이 미끄러지는 소리가 났다.

도망치고 싶어.

보라는 다리를 움직이려 했지만 굳어 버린 듯 꼼짝도 하지 못했다. 달려. 여기서 벗어나. 주은이가 이상해. 교실 안에서 주은이 천천히 일어나 보라에게 다가왔다. 책상 하나, 책상 둘, 책상 셋을 지나 문 앞까지 온 주은이 배시시 웃으며 교실 문을 잡았다. 보라는 지금 자신의 표정이 어떤지 제대로 파악할 수 없었다. 다만 키가 작은 주은의 턱이 저 위로 올려다보이는 걸로 봐서 보라 자신이 주저앉아 있다는 것만 가늠할 수 있었다.

"뭐야, 보라구나. 놀랐잖아."

주은이 손을 내밀었다. 보라는 떨리는 팔을 애써 가누어 그 손을 잡으려 했다.

아무것도 아닐 거야. 아무것도 아닐 거야.

보라의 손이 주은의 손과 닿기 직전.

다시 주은의 입이 열렸다.

"보라야, 나 머리카락 하나만 줄래? 네가 직접 뽑아서."

어떻게 주은을 뿌리치고 위치스 딜리버리까지 달렸는지 보라는 기억나지 않았다. 자신이 입을 열어 횡설수설하고 있다는 걸 알아차렸을 때 몸은 이미 사무실에 있었고, 덜덜 떨리는 손안에는 따뜻한 차가 담긴 머그 컵이 있었다. 입을 다물고 고개를 드니, 눈앞에는 얼굴에 석고를 부어 굳힌 듯 딱딱한 표정의 윤정이 있었다.

"잘했어. 주면 안 돼. 신체 일부는 주술의 재료야. 게다가 자의로 건넨 거라면 효력이 더 강해지지."

윤정은 칭찬을 하면서도 굳은 얼굴을 풀지 않았다. 보라는 초조해하며 물었다.

"저는 공격도 당했잖아요. 혹시 그 마녀가… 저한테 또 오면 어떻게 해요?"

윤정은 보라의 손끝을 잡았다.

"걱정 마. 너는 내 예비 마녀니까, 내가 지킬 거야."

윤정이 작게 덧붙였다. 누군지 알아내기만 하면, 뒤졌어.

하지만 윤정의 말만 믿기에는 석연치 않았다. 마녀 교육을 받을 때 메모한 걸 쭉 훑어봐도, "예비 마녀가 죽으면 선배 마녀가 타격을 입는다."라고만 쓰여 있었다. 결국 예비 마녀의 사망이나 부상은 못 막는다는 얘기 아냐.

그렇다면 내 몸은 내가 지켜야 하지 않을까.

보라는 윤정이 자리를 비운 틈을 타 VR 훈련 기기를 세팅했다. 윤정이 처음 청소기를 태워 준 이후로는 이걸로 비행 연습을 했다. 그 마녀가 지난번에 비행 중인 날 공격했고, 성공했지.

그러니 또 비행 중을 노릴 거야.

"고등학생의 피지컬이면 승산은 있어."

사장님도 맨날 허리 아프다잖아. 가야 언니도, 지원 언니도 운동신경은 나보다 안 좋을걸.

오늘부터 맹연습이다.

연습만으로는 부족했다. 덫이 필요했다. 상대가 나를 또 공격할 수 있도록 틈을 주는 거야. 보라는 엄마 명의로 밴시포켓에 아이디를 만들고 주은의 행동을 기억해 가며 문의 글을 남겼다. 딸 친구가 아로마 향초를 줬는데 여기서 샀다고 해서 글 올려요. 그런데 향초보다 더 센 건 없나요? 관리자라는 사람과 몇 마디 일대일 문의가 오갔다. '굿나잇 키스'의 효과가 더 좋아요. 그런데 좀 비싸고 한정 판매품이라…. 보라는 관리자의 메시지에 속으로 환호성을 질렀다.

'이거구나!'

얼마냐고 물어보니, 지금껏 모은 돈의 절반은 털어야 할 금액을 제시해 왔다.

그렇지만 내 목숨값에 비하면 싸다. 보라는 흔쾌히 승낙하고, 엄마 이름으로 계좌 이체를 했다.

진짜 딱 한 번의 기회다.

일주일 동안 연습에 연습을 거듭했다. 연일 비가

내려서 다행이었다. 공격당할 걱정 없이 VR 비행 훈련에 집중할 수 있었다. 비가 그친 뒤에는 최대한 조심해서 배달을 나갔다. 실전 연습은 덤이었다. 급커브, 급발진, 급하강. 아이씨, 왜 후진 기능은 없는 거야!

그리고 마침내, 보라의 엄마 이름으로 된 화물이 하나 왔다. 턱없이 가벼운 상자. 보라는 윤정의 눈치를 살폈다. 윤정은 전화와 메일 응대로 바빠 보였다. 사장님이 밴시포켓 택배는 따로 빼놓으라고 했지만, 이렇게 일이 밀려 있다면 하나쯤 빠져도 당장은 들키지 않을 거야.

보라는 비행 준비를 마치고 옥상에 올라가서 숨을 크게 들이쉬었다. 사장님, 죄송해요. 저 오늘 또 사고 낼 수도 있어요. 어딘가에서 시선이 느껴지는 것 같기도 했다.

와라, 누구든 상대해 주마.

보라는 색소를 탄 캡사이신 스프레이를 꽉 쥐고 날아올랐다.

평소보다 조금 느리게. 고도 유지. 아무 일도 없고 아무것도 모르는 것처럼. 보라의 헬멧은 풀 페이스다. 상대가 접근하면 바람이 미세하게 바뀔 테지만, 그건 얼굴로는 느낄 수 없었다. 은신 망토 밖으로 나온 손끝에 온 신경을 집중했다. 와라. 제발 와라. 안전 수칙을 무시한 채 앞이 아닌 자기 손과 발을 체크하며 보라는 일부러 조금 멀리 돌아가는 길을 택했다.

그리고 마침내.

보라의 손끝과 운동화에 반짝이는 가루가 뿌려졌다.

지금이야!

"급상승!"

헬멧에 막혀서 소리가 제대로 나가진 않겠지. 하지만 기술명은 외쳐야 제맛.

보라의 청소기가 빠르게 위로 날아올랐다. 다음은 공격.

보라는 한 손으로 청소기를 잡고, 다른 한 손을 뻗어 스프레이를 아래쪽 사방으로 분사했다. 호흡기에 들어가면 최고지. 제발 헬멧 엉터리로 썼기를! 최소한 색소 흔적이라도 남으면 돼!

"컥."

성공인가. 색소 덩어리가 공중에 나타나고, 그 덩어리가 크게 비틀거렸다. 좋아, 이대로 급강하하면 칠 수 있다. 방향을 바꾸려는 순간, 상대가 조금 더 빨랐다. 아, 저쪽은 한계 속도가 나보다 훨씬 빠르지. 다시 급상승! 고도를 빠르게 높이니 손끝에 에이는 듯한 바람이 몰아쳤다. 공격을 해야 하는데, 보라는 잠시 멈칫했다.

여기서 저 사람이 떨어지면 죽을 수도 있는데.

마녀지만, 사람이잖아.

아냐, 다른 생각 할 시간이 없어. 이러다간 반격이-

생각과 동시에 반격이 들어왔다.

시커먼 가루가 자유 의지라도 있는 것처럼 보라의 맨살을 노리는 듯 망토 안으로 스며들었다.

"윽, 이거 뭐야!"

불타는 듯한 느낌. 들이마셨으면 아예 떨어졌겠네. 안 되겠다. 날 죽일 작정이잖아. 보라는 망토 바깥으로 손발이 드러나지 않도록 최대한 웅크렸다. 아, 으아, 떨어지겠다. 하지만 지금 손발을 내놓으면 끝장이야. 웅크린 채 보라는 조심조심 호스에서 먼지 통 위로 몸을 옮겼다.

이대로 사무실 쪽으로 가는 거야. 그러면 못 쫓아올 거야.

그 전에.

"급강하!"

어디 한번 색소 묻은 꼴로 쫓아와 보시지. 보라는 위태롭게 균형을 잡으며 청소기에 매달렸다. 색소 덩어리는 그 자리에 머물러 있다가 방향을 보라와 반대로 돌렸다.

성공이었다.

보라는 사무실 옥상에서 망토와 풀페이스 헬멧을 벗고, 비상계단으로 내려오다 주저앉았다. 팔다리가 쓰리고 따끔거린다. 그것보다.

"아하하, 아하하하하하!"

웃음이 멈추질 않아.

"내가 이겼어!"

한 방 먹였어! 이겼다고! 이제 날 만만하게 볼 수는 없겠지!

계단에서 한바탕 웃은 뒤, 보라는 사무실로 돌아갔다.

"다녀왔습니…? 와아아악!"

인사를 끝내기도 전에 보라의 정강이를 노리고 빈 택배 상자가 날아들었다.

"어딜 들어와! 뭘 묻히고 온 거야, 강보라!"

우와. 사장님 완전 화났네. 불타는 것 같은 눈으로 윤정이 보라를 보고 있었다.

"당장 샤워실 가서 다 씻어 내!"

옙.

보라의 한판 반격을 들은 윤정은 자기 머리를 쥐어뜯었다.

"얘가 진짜 제정신이 아니네. 미친다. 내가 미쳐. 병아리가 독수리에게 덤벼도 유분수지, 아주 목숨이 아홉 개야?"

"그래도 이겼잖아요."

아드레날린이 뻔뻔함도 가져다주는지, 보라는 주눅 들지 않았다.

윤정이 고개를 끄덕이다가, 젓다가, 발을 구르다가 얼굴을 감싸고 중얼거렸다.

"보라야, 네가 죽으면 제일 피해를 입는 건 나란다…."

윤정은 보라의 은신 망토를 쓰레기 집듯 집게로 집었다.

"안 죽어서 다행이다. 이렇게까지 했으니 그 미친- 아니, 마녀도 너한테 공격은 못 하겠네. 이거 호흡기에 들어갔으면 기절로도 안 끝나."

은신 망토에 남은 가루를 브러시로 모으며 윤정이 이를 갈았다.

"죽기 직전까지 팬다, 진짜로."
"저를요?"

보라가 목을 움츠리자 윤정이 쏘아보았다.

"너 말고, 안마리. 이런 걸 쓰는 마녀는 내가 알기론 안마리 딱 한 사람뿐이야. 성남에서 두 번이나 비행을 했으니, 확실히 성남시에 있는 모양이네. 등록된 구역 아니면 비행 못 하는데."

풀 페이스 헬멧이라 살아난 줄 알아. 사필 반성문 써 와라. 윤정이 가루를 한데 털어서 작은 병에 집어넣으며 잔소리를 했다. 보라는 네, 네 하면서도 실실 웃음을 멈추질 못했다.

"잘했다. 내 예비 마녀."

윤정도 마침내 웃어 버렸다.

주은은 집으로 돌아와 교복을 벗었다. 택배를 뜯을 시간이었다. 가방 안에서 작은 지퍼 백을 꺼낸 주은은 택배 상자를 열었다. 상자 안에는 쭈글쭈글한 사람 머리 비슷한 것이 들어 있었다. 주은은 조심스럽게 지퍼 백을 열어서 그 안의 머리카락 한 가닥을 꺼내고, 상자 안에 떨어뜨렸다. 반짝, 보라색 불꽃이 튀었다.

"다행이야. 하나라도 건질 수 있었어."

주은이 천진난만하게 웃었다.

"이제 나도 잘 수 있어."

9. 당신이 누구라도 따라 하지 마세요

보라에게 윤정은 “주은이를 데리고 교문 앞까지만 나오면 된다.”라고 했다. 보라는 며칠 전부터 잠을 설친 탓에 머리가 아팠고, 대조적으로 주은은 밝아 보였다.

교문 앞에 차를 세운 윤정은 줄지어 언덕을 내려가는 하교 행렬을 보며 눈살을 찌푸렸다. 미쳤네. 몽마를 달고 있는 애가 열 명이 넘어. 샌드맨 캔들 때문만은 아니겠지만, 여기 애들은 총체적으로 이상해.

아니, 애들이 문제일 리가. 문제는 애들을 그렇게 내몬 환경에 있겠지.

윤정의 휴대폰이 울렸다. 보라가 나오기 직전에 몰래 전화를 걸겠다고 했다. 그럼 이제 나오겠군. 반쯤 백발인 머리를 뒤에서 묶고 선글라스를 낀 윤정을 아이들이 흘끔거리며 지나쳤다. 담배 피우고 싶은데, 학교 앞이니까 참아야겠지. 윤정은 아이들의 머리 위로 돌아다니는 온갖 것들을 애써 무시했다.

그리고 보라가 나타났다.

어깨뿐만 아니라 머리 절반 정도를 무언가에 먹혀버린 아이의 손을 잡고.

빌어먹을. 윤정은 숨을 참았다. 머리카락, 구한 모양이네. 보라의 머리 뒤에도 무언가가 달라붙어 있었다. 중요한 건 본체야. 윤정은 보라가 자신을 부르기도 전에 달려가 주은의 가슴팍에 탁, 일시적 주술 해제용 긴급 패치를 붙였다.

주은이 중심을 잃고 휘청거렸다. 교문 앞에서 하교 지도를 하던 교사가 소리쳤다.

"거기 뭐예요!"

윤정은 아랑곳 않고 주은의 가슴팍에 손을 대고, 다른 한 팔로 주은을 껴안은 채 기다렸다. 사라져라. 주은을 삼키고 있던 무언가는 진저리를 치듯 파닥거리다 도망갔다. 사라지지는 않았다. 됐어. 일단은 이 정도로 됐어. 주은이 콜록, 기침을 한 번 하고 잠에서 막 깨어난 듯 주위를 두리번거렸다. 하교 지도 교사는 당장이라도 달려올 태세였다. 윤정은 한 발자국 물러나 팔짱을 끼고 주은을 지켜보았다. 아이들은 세 사람이 마치 흐르는 물에 박힌 돌이라도 된다는 듯, 멀찍이 피하면서 교문을 지나갔다.

"어, 어. 보라야. 보라 맞지? 지금 몇 시야? 아니, 그동안 우리 진도 어디까지 나갔어? 나 지금 이상해. 기억이 하나도 안 나. 학원에서 뭘 배운 건지 기억이 안 난다고."

패닉 상태에 빠지려는 주은의 팔을 보라가 단단히 붙들었다.

"차에 타. 가면서 설명할게."

다행히도 주은은 순순히 보라의 말을 따랐다. 윤정은 둘이 차에 타자마자 공영 주차장으로 향했다. 이야기를 들어야 했다.

공영 주차장에 차를 세운 윤정은 주은에게 금방이라도 물어뜯을 듯한 표정을 지었다.

"너, 밴시포켓 택배 받았구나."

"아줌마, 아니, 할머니? 아무튼 그쪽이 그걸 왜 물어요."

주은은 방금까지 얼떨떨해하던 걸 잊은 듯 날카롭게 되쏘았다. 윤정은 '저건 버르장머리가 없는 걸까, 저주의 영향일까.' 하고 잠시 고민하다 주은의 손등을 찰싹 때렸다. 손등 위를 가느다란 뱀 같은 것이 스르르스르르 기어 다니다 떨어졌다.

"샌드맨 캔들, 피웠지. 악몽을 꿨지만 잠은 빨리 왔을 거야. 그렇지?"

"아줌마가 밴시포켓 사장이에요?"

놀란 듯 커진 주은의 눈동자를 보며 윤정은 하, 기가 찬다는 표정을 지었다.

"아니, 그 사장 멱살 잡으러 갈 사람이다. 너네 집에 가서 당장 들고나와. 콘택터. '굿나잇 키스' 시킬 때 왔던 물건 말야."

차 안에서 기다리고 있노라니 주은이 상자 하나

를 소중하게 들고 내려왔다. 먼지 통 안에 아슬아슬하게 들어갈 정도의 크기였다. 주은이 울먹이며 상자를 앞에 싣고 뒷자리에 탔다.

"처음엔 더 작았어요. 그런데 어제 머리카락을 넣었더니 아침에 보니까 이만큼 커졌어요."

대체 저 상자 안에는 뭐가 들었을까. 보라는 뒷좌석에서 주은과 최대한 떨어져 앉은 채 마른침을 삼켰다. 콘택터? 연결기? 머리카락을 넣었더니 부풀었다고? 윤정은 내비게이션으로 뭔가 검색하며 퉁명스럽게 말했다.

"샌드맨 캔들부터 얘기하자. 그건 몽마를 가둔 물건이야. 촛농 안에 몽마를 넣어서 불을 붙이면 몽마가 풀려나게 하는 거지. 이미 7년 전에 금지된 수법인데."

"저는 잘 잤는데요?"

주은이 묻자 윤정은 또 피식피식 웃었다.

"잠은 들지. 악몽 꿨잖아. 네가 산 몽마는 악몽을 먹는 종류인데, 악몽을 꾸게 하려면 상대방이 먼저 잠들어야 해. 그래서 쓰러지다시피 잠들었을 거야. 몽마가 배부르게 악몽을 먹으면 들어가 숨어야 하니 촛불도 아침에 보면 꺼져 있었을 거고."

"… 어떻게 그렇게 잘 알아요?"

의심스러워하는 주은의 목소리를 듣고 구석에 구겨지듯 몸을 말고 있던 보라가 대신 입을 열었다.

"사장님, 그 물건도… 그 마녀가 만든 거예요?"

윤정은 전방을 주시하며 백미러 너머로 보라를 보았다.

“만들었지. 안마리가 발명한 거야. 그리고 5년 전에 안마리는 마녀 협회에서 제명됐어. 죄목은 나중에 얘기하자. 7년 전에 애들이 갑자기 픽픽 쓰러져서 잠드는 사고가 났어. 샌드맨 캔들은 잠을 자게 해 주지만 악몽을 불러와서 결과적으로는 신체 리듬을 다 망가뜨리거든. 아이들이 쓰러지자마자 그게 원인으로 밝혀져서 금지 품목이 되었지. 그런데 왜 2년이나 더 지나서야 안마리가 제명되었는지 알아?”

윤정은 계속 내비게이션을 조작하며 말했다.

“그때 네가 산 콘택터를 만들었거든. 당시 이름은 디퍼슬립. 그건 사람을 죽였어.”

10. 굿나잇 키스

5년 전.

윤정은 위치스 딜리버리의 책상 앞에 앉아 있었다. 무릎을 모으고 몸을 웅크린 자세로, 모니터 속 화상에 시선을 못 박은 채였다. 화면 중앙에는 한 마녀가 검은 의자에 앉아 있는 모습이 보였다. 다른 창으로는 각기 다른 장소에서 카메라를 앞에 둔 배심원들이 보였다. 윤정도 배심원이었다. 마녀 협회에서 벌어지는 마녀 파문 회의. 제명 대상자는 한국의 마녀 안마리. 안마리 옆에는 눈을 감고 잠든 듯한 사람의 머리가 있었다. 단조로운 목소리로 죄목이 낭독되었다.

"원한 또는 특수 의뢰가 없음에도 불구하고 인간을 살해한 죄. 지난번의 사고로 한 번 페널티를 받았기 때문에 이번에는 파문을 제의합니다."

각 나라의 언어로 동시통역되는 제의 내용을 듣고 배심원들은 고개를 끄덕였다.

"상세 내용은 아래와 같습니다. 안마리는 '한 인간의 잠을 빼앗아 다른 사람에게 넘겨주는 약물'을 개발하여 '디퍼슬립'이라는 물품을 제작, 판매했습니다. 그 결과 잠을 빼앗긴 사람 중 세 명이 사망했으며 잠을 넘겨받던 사람은 그들의 사망 이후 다시 잠들지 못해 심각한 손상을 지속적으로 입고 있습니다. 안마리 씨는 최후 변론을 할 수 있습니다."

안마리는 파문 직전의 상황인데도 불구하고 심드렁한 표정이었다. 어쩌면 이 모든 상황을 전혀 이해할 수 없다는 표정일 수도 있었다. 보이진 않지만 팔다리에 모든 주술을 억제하는 구속구가 묶여 있을 텐데 불편한 기색도 없었다. 안마리는 카메라를 쳐다보며 또랑또랑하게 말했다.

"인간의 사망과 심각한 손상을 인정합니다. 하지만, 이건 단지 실험의 실패일 뿐이에요. 말하자면, 어, 변인 통제에 실수한 거죠. 한 번에 성공하는 주술이 있던가요? 우리의 주술은 수많은 실패와 희생 위에 세워집니다. 저는 주술 용품을 판매할 때 주의할 점을 충분히 안내했습니다. 죽은 인간들은 그저, 욕심을 지나치게 부린 거예요. 수면 부족 상태라는 걸 알면서도요."

"이의 있습니다."

배심원 중 스칸디나비아의 마녀가 손을 들었다.

"제출된 자료를 보면, 잠을 '넘겨받는' 자에게만 주의 사항을 안내했고, 빼앗기는 자에게는 아무런 설명도 하지 않았다고 되어 있습니다만."

안마리가 혀를 찼다.

"아, 그거야 누구 잠을 빼앗을지 제가 미리 알 순 없잖아요. 저는 '충분히 사랑하는 사람', '자신을 위해 희생할 수 있는 사람'을 고르라고 했어요. 사랑을 위해 목숨도 바치는 게 인간이잖아요? 마녀들도 자기 예비 마녀를 위해 목숨을 거는데. 그 정도는 당연히 각오할 사람을 고를 줄 알았죠."

배심원 중 몇 명이 얼굴을 찡그렸다. 윤정은 옆에 놓아둔 음료수를 들이켰다.

스칸디나비아 마녀의 반박이 이어졌다.

"그렇다면 잠을 빼앗긴 사람은 자신이 무슨 피해를 입었는지도 몰랐던 거 아닙니까? 상황을 모르는데 어떻게 대비를 하죠?"

안마리는 반론했다.

"현대 한국인은 대부분 만성 수면 부족 상태입니다. 그러한 상황에서 몸 관리를 안 하고 무리한 탓에 죽은 거예요. 주술이 언제부터 쌍방의 페널티를 챙기는 자비로운 도구가 되었습니까?"

이건 무리수인데. 안마리, 변호를 하는 게 아니라 어그로를 끌고 있어.

윤정이 생각하는 사이 안마리가 덧붙였다.

"추가 실험 기회를 주신다면 그 부분은 보완해 보겠습니다. 이 주술은 장기적으로 마녀 사회에 상당한 금전적 이득을 가져다줄 주술입니다."

….

안 되겠네. 추가 실험을 하겠다고 대놓고 말하잖아.

윤정은 화면 속의 안마리를 보았다. 알고 지내는 마녀였다. 약물의 마녀, 안마리. 재밌는 애라고 생각했는데. 남아 있는 마녀 수가 적은 한국에서만 활동하긴 아까운 인재인데.

젠장.

"변론을 종료합니다."

안마리가 더 할 말은 없다는 듯 입을 다물었다.

어이, 안마리 씨. 진짜 그걸로 변호가 될 거라고 생각해?

윤정은 그 자신만만함에 헛웃음을 쳤다. 예전, 중세 정도라면 달랐겠지. 마을 사람이 하나둘쯤 사라져도 별 의심을 안 사던 때 말이지. 하지만 지금은 현대라고. 마녀들이 지나치게 말랑말랑해진 건 나도 인정하지만.

"투표를 시작합니다. 배심원들은 안마리의 파문을 찬성하거나 반대할 수 있습니다. 선택의 시간은 1분입니다."

망설이지 않고 손을 움직이는 몇 명이 보였다. 저들의 의견은 찬성일까, 반대일까. 찬성일 가능성이 높다. 사람을 죽이는 일에 우리는 너무 많이 겁을 먹고 있어. 뒤처리도 점점 귀찮아지는 추세고.

안마리의 주술이 뛰어나다는 건 인정해.

그러면 나는…

"30초가 지났습니다. 30초 이내에 투표하지 않으시면 기권 처리합니다."

판단을, 못 내리겠네.

인간이 그렇게 고귀한가. 함부로 죽이면 안 될 만큼. 결국 주술에 엮여 죽은 꼴이고, 그건 디퍼슬립을 산 사람의 잘못일 뿐인데.

"총 아홉 명 중 여섯 명의 찬성, 두 명의 반대, 한 명의 기권으로 안마리의 파문을 선언합니다."

윤정은 아무 선택도 하지 않았다. 무효표다.

"규칙에 따라, 안마리에게 새겨진 '마녀 계약' 표시를 삭제합니다. 삭제 과정에서 계약의 표시가 새겨진 신체 일부가 손상될 수 있으며, 안마리의 특수 능력인 약물 제조 능력치가 영구적으로 하락합니다."

윤정은 눈을 감았다. 어차피 다른 사람들도 카메라를 껐다. 안마리 계약 표시가 어디 있었지. 다리인가? 그래. 다리였지.

아깝게 됐어. 잘 걷지는 못하겠네.

"안마리는 약물 제조 분야에서는 천재급이었어. 이상한 발상을 마구 해 내고, 그걸 실제로 만들어 버렸지. 네가 산 굿나잇 키스는 콘택터로 다른 사람의 잠을 빼앗아서 네게 주는 물건이야. 안마리는 제명 회의에서 '변인 통제에 실패했을 뿐이에요.'라고 말했지. 샌드맨 캔들 때도 똑같이 말했어. 조금만 희석하면 된다고. 하지만 주술은 과학과 달라. 일정하게 증가하고 감소하도록 조절할 방법이 없어. 주술을 희석하는 일은 언제나 예상치 못한 부작용을 동반해. 안마리 손에 개량을 맡기느니 주술 자체를 폐기하는 게 백 배 낫지. 그런데 이 정신 나간 여자가 숍까지 차렸을 줄은 몰랐네. 그것도 감히 내 동네에."

'잠을 빼앗는다'라는 말에 보라의 얼굴 위로 경악이 내려앉았다. 주은은 울먹이는 눈으로 보라를 보았다.

"주은이 너, 알고 있었어?"

보라의 물음에 주은이 대답하기 전에 윤정이 코웃음을 쳤다.

"몰랐으면 네 머리카락을 달라고 했을 리가 없지. 그것도 굳이 직접 뽑아 달라고 하면서. 다른 머리카락으로는 효과를 보장할 수 없어. 인연이 깊은 사람의 신체 일부를 재료로 써야 했다는 뜻이야. 적어도 안마리 주장은 그래."

보라가 주은을 노려보자 주은은 고개를 숙였다가 쳐들었다. 주은의 눈에는 분노가 어려 있었다.

"친한 사람 머리카락을 넣어야 한댔어. 잠을 뺏는 줄은 몰랐어! 그리고 넌 괜찮잖아. 학원도 안 다니고 집에서 성적 때문에 뭐라 하지도 않잖아. 잘 잔다며! 나는 하루 다섯 시간도 못 자고 있는데! 네가 나 걱정했잖아!"

"야, 하주은!"

보라가 언성을 높이자 윤정이 시끄럽다는 듯 말했다.

"보라야. 앞 좌석에 초콜릿 있지? 그거 주은이 하나 주고 너도 먹어라. 진정 좀 해. 내 머리가 울린다."

보라는 분을 삭이며 앞자리에 있던 초콜릿 통을 집었다. 안에서 동그란 초콜릿 볼을 꺼내 주은에게 하나 주었다. 주은은 잠깐 의심하는 눈초리로 보다가 초콜릿을 입안에 넣었다. 다음 순간, 주은이 푹 앞으로 고꾸라졌다. 보라는 입가에 가져갔던 초콜릿 볼을 바닥에 떨어뜨렸다.

"수면제야. 잠 좀 자게 놔둬. 넌 안 먹었니? 어차피 너도 자는 게 좋은데."

보라는 수면제라는 말을 되새기며 바닥을 굴러다니는 초콜릿 볼을 내려다보았다.

"아니다, 잘됐네. 너, 이 동네에서 물이 제일 많은 데가 어딘지 좀 말해 봐."

물이라니. 갑자기 왜? 주은이를 물에 빠뜨려 죽일 셈인가? 보라가 주저하자 윤정이 설명했다.

"약물 실험에 가장 많이 쓰이는 건 물이야. 뭐, 안마리가 예전에 만든 약품을 좀 챙겨 놨을 수도 있겠지. 그래도 지금 안마리한테는 대량의 물이 필요할 거거든. 여기가 서울이었으면 안마리 찾느라 한강 근처를 다 뒤졌을 텐데, 성남이라 다행이네. 아마 분당구 안에 있을 거야. 이 동네에 큰 호수 같은 거 있어?"

보라는 꿀꺽, 침을 삼켰다.

"있어요, 저수지. 두 개. 분당저수지가 훨씬 커요."

"좋아."

윤정은 시동을 걸었다.

"숍 오너랑 주술에 쓰인 물건, 주술을 시행한 당사자가 있어야 주술을 제대로 풀 수 있어. 애한테 험한 소리 들려주기 싫어서 재운 거니까 걱정 마라. 내가 안마리 보면 고운 말이 안 나올 것 같아서 그래."

운전하면서 이야기하는 윤정의 태연한 목소리에 보라는 고개를 끄덕였다. 가방을 앞으로 돌려 껴안는 척하며 지퍼를 열어 그 안에 있는 은신 망토를 꼭 쥐었다. 혹시 몰라서 챙겨 온 건데, 도움이 될 것 같았다.

분당저수지 인근에 도착한 윤정은 차에서 내려 이리저리 걸었다. 보라는 잠든 주은을 멍하니 내려다보았다. 험한 소리 들려주기 싫어서 재웠다고? 정말 그것뿐일까?

"에이씨! 실패. 번지점프대가 있는 데다가 은신처를 세우진 않았겠지. 다른 덴 어디야?"

윤정이 차 문을 벌컥 열자 보라는 앉은 채 튀어오를 뻔했다.

"서, 서현저수지요. 그런데 거긴 분당호랑 비슷하

게, 되게 작은데…"
"거기도 번지점프대 있어? 있으면 허탕인데."

보라는 기억을 더듬어 대답했다.

"번지점프대 없어요. 되게 큰 범선처럼 생긴 게 있고."
"아하."

윤정이 알겠다는 듯 고개를 끄덕였다.

"망한 음식점이라. 거기라면 가능성 있지."

윤정은 다시 운전대를 잡았다.

"넌 차 안에 있어."

서현저수지 앞에 차를 세운 후, 윤정은 한 손으로 주은이 가져온 박스를 들고 한 팔로는 주은을 들쳐 업었다. 주은은 가벼운 솜 인형처럼 훌쩍 윤정의 어깨에 얹혔다. 보라는 차 안에 혼자 남아 주위를 살핀 후, 가방 안에서 망토를 꺼냈다.

아무렇지도 않게 내 친구에게 수면제를 먹이는 인간을 내가 어떻게 믿어.

망토 안 교복 주머니에서 소환 스톤을 챙긴 다음, 보라는 망토를 뒤집어썼다. 그리고 최대한 소리가 나지 않게 차 문을 열었다.

낡아 버린 범선 옆, 윤정은 박스를 바닥에 내려놓고 허공에 크게 원을 그렸다. 범선과 저수지 사이에 3층 건물이 나타났다. 우와, 보라는 감탄사를 내뱉으려다 입을 꼭 막았다. 망토가 온몸을 가리게 하려니 거의 웅크리고 오리걸음을 걷는 처지였다. 지난 번 반격 때 연습해 두길 잘했네. 지켜보는 사이 건물은 점점 뚜렷해졌다. 현관이 나타났고, 현관 손잡이가 나타났다. 윤정이 손잡이로 손을 뻗자 손잡이에서 스파크가 튀었다. 윤정이 손을 들여다보며 인상을 썼다.

"그렇게 나온다 이거지?"

못 들어가면 다 꽝이잖아. 보라는 웅크린 채 숨을 죽였다. 윤정은 주머니에서 무언가를 꺼내 신발 밑창에 꼼꼼하게 뿌렸다. 어떻게 사람을 어깨에 얹고 저러냐. 힘이 센 건지, 주술을 쓴 건지 알 수는 없지만 주은의 무게를 지푸라기 정도로 취급한다는 점만은 확실했다. 윤정은 손을 탁탁 턴 후, 숨을 크게 들이쉬었다.

"안 열리면 부수면 되지!"

기합 소리와 함께, 말 그대로 윤정이, 날았다. 보라는 사람 하나를 어깨에 얹은 채 문에 대고 헥토파스칼 킥을 날리는 윤정을 볼 수 있었다. 문은 아예 처음부터 없었던 듯 날아가 버렸다. 상자를 챙겨 들고 집 안에 들어선 윤정은 쩌렁쩌렁하게 소리쳤다.

"안마리, 나와!"

이 틈이다. 사장님 뒤로 붙어서 들어가자. 보라는 오리걸음으로 마녀의 집 안에 들어갔다. 문 바로 안쪽이 거실이었고, 나선형 계단과 부엌이 보였다.

잠시 정적. 그리고 달그락, 달그락, 소리를 내며

지팡이를 짚은 여자가 계단 위에서 내려왔다. 여자는 나른한 표정으로 윤정을 보며 미소 지었다.

"어머, 윤정 씨네. 그리고 우리 고객님도 같이 오신 모양이야."

보라는 문 바로 옆에 붙어 최대한 숨소리를 죽이려고 애썼다.

윤정은 안마리를 노려보더니 소파에 주은을 눕히고, 상자를 테이블 위에 내던지듯 내려놓았다. 닫히지 않은 상자 안에서 소리도 없이 사람의 머리가 굴러 나왔다. 마네킹처럼 고요히 눈을 감고 있는 머리에는 보라와 똑같은 위치에 점이 있었다.

"안마리, 내 구역에 들어와서 이런 짓을 하고도 무사할 줄 알았어?"

윤정이 성큼성큼 다가가 안마리의 멱살을 잡았다. 윤정보다 키가 큰 마리는 멱살을 잡히고도 여유롭게 웃었다. 뭘 그런 걸 갖고 난리냐는 듯, 마리는 고갯짓을 했다.

그 순간 거실에 굴러다니던 우산이 윤정의 뒤에서 날아왔다. 우산은 재빨리 고개를 튼 윤정의 귓가를 스치고 부엌 벽에 박혔다.

11. 마녀는 3층 저택에 산다

"와, 오늘은 마녀 스테이크 먹을 수 있었는데."

마리는 아쉽다는 듯 손뼉을 쳤다.

윤정이 멱살을 놓고 물러서자, 마리는 다시 나른하게 웃었다. 달그락, 지팡이 소리와 함께 천천히 주은에게 다가간 마리가 다정하게 주은의 머리카락을 어루만졌다.

"잘 자네. 그런데 아직도 효과가 좀 센가? 밤에만 잘 정도로 만든 줄 알았는데."
"내가 재웠다. 주술 해제하려고."
"음, 우리 이성적으로 생각하자. 윤정 씨. 애 주술을 왜 풀어야 해?"

뜻밖에도 윤정은 그 말에 대답하지 않았다. 소란을 틈타 소파 아래 숨는 데 성공한 보라는 가슴이 두근거렸다. 왜 아무 말도 안 하지? 당연히 깨워야지. 그리고 저 머리, 기분 나쁘다고 생각했는데 가까이서 보니 나쁘지 않네. 우산이 날아다니는 풍파

와중에 머리는 테이블 아래로 굴러떨어져 하필 보라의 코앞으로 왔다. 아, 진짜 나랑 닮았네. 그런데 나보다 예쁜 거 같아. 만져 보고 싶다. 손을 뻗던 보라는 윤정의 담담한 말에 몸을 굳혔다.

"그러네. 딱히 풀 이유는 없지."

"왜 달려온 거야? 네가 묶은 예비 마녀랑 상관있어?"

"그러고 보니 너 그 죗값도 받아야 하는데. 내 예비 마녀인 거 알고서 공격했지?"

"신고식이야. 신고식. 내가 작정했으면 다리라도 부러뜨렸겠지. 그거 말고는?"

나를 공격한 게 저 사람이구나. 보라는 숨소리를 낮췄다. 심장 고동도 들릴 만큼 가까운 거리였다. 바로 머리 위에 주은이 누운 소파가 있었고, 바로 앞에 굴러다니는 머리 옆으로 마리의 두 다리와 지팡이가 보였다. 윤정은 하, 하고 한숨을 쉬었다.

"내 예비가 얘랑 절친이라는데 어떡하냐. 그리고 콘택터가 강보라랑 연결되어 있어. 이대로 두면 강보라가 먼저 죽는다. 너도 그건 싫잖아. 예비 마녀를 죽이면 마녀들이 다 들고 일어나도 이상하지 않아. 이번엔 네 뼈를 발라서 보석함이라도 만들걸?"

주술을 풀 생각이 있구나. 다행이네. 예비 마녀를 죽이는 건 마녀가 저지를 수 있는 가장 나쁜 일 중 하나라고 사바스 때 들은 기억이 났다. 물론 원한 맺힌 상대거나 저주 시전 대상이 아니라면 보통 사람을 직접 죽여서도 안 된다. 하지만 죽은 사람이 예비 마녀인 경우에는 주술의 시작자, 지금 상황에서는 마리가 모든 책임을 지게 된다고.

하지만 책임을 지는 게 뼈를… 보석함…. 뭐, 농담이겠지.

"아, 45년 전에 프랑스에서 하나 만든 그런 거? 예쁘긴 하더라."

농담이 아니구나.

보라가 아찔해지는 정신을 다잡는 사이 윤정이 말을 이었다.

"말 돌리지 말고, 주술 해제해. 내 예비 마녀도 죽이면 네 두개골은 내가 가져가서 비누 받침대로 쓸 거다."

"음. 그래도 굳이 해제할 이유는 없는데."

풀썩, 소리가 나고 마리의 발끝이 돌아갔다. 소파에 앉은 모양이었다. 마리가 휘파람을 작게 불었다.

"네 예비 마녀가 얽히지만 않으면 되지? 그럼 다른 사람 머리카락 구해 와. 이거 어제 심은 머리카락이니까 이틀 내로 바꿔 심으면 대상이 옮겨질 거 같은데."

훅 담배 냄새가 끼쳤다. 보라는 기침이 나오려는 것을 억지로 입을 막아 참았다.

"야, 그거 '소중한 사람'의 머리카락이어야 하잖아. 길거리 다니면서 아무 머리카락이나 뽑아 오랴?"

답답하다는 투로 뱉은 윤정의 말끝을 마리가 잡

아챘다.

"애 부모 없어? 둘 중 하나 머리카락이면 되는데. 대충 뽑아 와. 은신 망토 써서. 아니면 뒷골목에서 뒤통수를 쳐서 기절시킨 다음에 뽑든지. 너 그런 거 잘하잖아."

네? 사장님의 특기는 넘어가고. 누구 머리카락을 뽑는다고요?

아니, 물론 주은이네 부모가 좀 유별나긴 해요. 애가 학원 빽빽이 도느라 하루에 다섯 시간도 못 잘 정도니까. 자정까지 학원 보낸 것도 모자라 집에 오면 예습, 복습 시키고 시험 때마다 들들 볶는 사람들이긴 해요. 하지만 이건 좀 아니잖아요.

적어도 주은이는 엄마 아빠가 싫다는 말 나한테 한 번도 한 적 없고, 콘서트 티켓 비용도 주은이 카드에 부모님이 넣어 준 거고, 콘서트 날은 학원 빠져도 된다고 해 줬어요. 그리고요. 지금 중요한 걸 빼놓고 계신데요.

머리카락을 뽑아 와도 주은이는 콘택터에서 못 벗어나는 거잖아요.

"부모면 되나. 요새 막장 부모 너무 많은데."

"애 입성 멀끔하고 손발 부드러운 거 보면 괜찮을 거야."

"그럼 그동안 애는? 부모가 불면증 걸리면 놀라지 않을까? 이미 콘택터가 뭔지 내가 다 설명해 버렸거든."

후- 하는 한숨 소리보다 한 박자 늦게, 담배 연기가 바닥까지 내려왔다.

"그럼 평생 재우지 뭐. 수면제 먹였댔지? 낮에는 수면제 먹이고 밤에는 콘택터 돌리고. 어쨌든 네 예비 마녀는 풀려나는 거야."

"하, 진짜. 넌 제대로 정신 나갔어. 애 재워서 뭐 하려고 그래?"

마리가 킥킥, 웃으며 몸을 들썩이자 소파가 가볍게 출렁거렸다. 보라가 바닥에 코를 박고 엎드렸다.

"얻을 수 있는 거 많잖아? 머리카락, 손톱, 발톱, 각질부터 피와 세포까지. 주술 암시장에 내다 팔고 한국 뜨려고. 나도 이 짓거리 너무 힘들어서 좀 편하게 살고 싶다. 안락한 노후 좋잖아. 다들 그거 얻으려고 안달인데."

윤정은 고민했다. 마리의 말이 틀린 건 아니었으니까.

처음에는 자신도 보라를 그렇게 쓰려고 했으니까. 계속 재워서 자라나는 손발톱을 수거할 생각까지는 없었고, 한 번에 싹 얻어 낸 다음 곱게 지워 주려고 했지만.

사람의 신체 일부분은 얻기 힘든 주술 재료다. 건강하고 영민한 나이의 아이 것이라면 더욱. 모든 조직이 아직 성장하고 있겠지. 저 애가 계속 잠들어 있는다면 최소 반년은 안정적으로 재료를 얻을 수 있다. 그 뒤로는 저 애 부모가 수면 부족에 시달리다 사고를 겪을 확률이 높고, 그러면 저 애도 깨겠지만. 깬 다음에 울고불고해도 소용없다. 그때는 그야말로,

지워 버리면 그만이다.

"손가락 두 개에 발가락 네 개 정도로, 어때? 그리고 3개월간 네가 원하는 만큼 머리카락이랑 손발톱."

달콤한 조건이었다.

다만 문제는.

"무슨 개소리예요!"

어느샌가 콘택터를 한 팔에 끌어안고 계단 앞으로 가 버린 윤정의 예비 마녀,

보라였다.

"아, 네가 콘택터 연결자구나. 콘택터랑 많이 닮았다. 그치? 점 위치도 똑같네."

갑자기 나타난 보라가 놀랍지도 않은지 마리는 짝짝 손뼉을 쳤다. 보라는 씨근덕거리며 계단을 등지고 마리를 노려보았다.

"당장 주은이 깨워요. 안 그러면 이거 박살 내 버릴 거야."

머리를 위협적으로 치켜들려고 했지만 마음대로 되지 않았다. 보라의 팔은 그 물건을 더 소중하게 감싸 안을 뿐이었다.

예쁘다. 사랑스럽다. 갖고 싶다. 만지게 되어서

행복해. 그런 생각들이 머릿속을 갈팡질팡 휘젓고 다녔다. 보라가 생각들을 가라앉히기 위해 입안을 강하게 깨물자 마리가 손을 한 번 휘저었다. 우산이 이번에는 보라가 안은 콘택터를 향해 날아왔다. 그래, 저거면 부서지겠다. 그런데.

"크."

보라는 콘택터를 부수기는커녕 온몸으로 끌어안아 보호했다. 우산은 보라의 어깨를 강하게 찌르고 다시 마리에게 날아갔다.

"넌 못 부숴. 그건 이제 너의 일부거든. 물론 부수면 자동으로 주술은 풀려. 그냥 머리 이리 줘."

어깨가 아팠다. 보라는 이를 갈며 힘겹게 몸을 일으켜 세웠다. 마리가 재밌다는 듯 깔깔 웃었다.

"그 머리, 예쁘지? 갖고 싶지? 사랑스럽지? 네 애인이나 마찬가지라니까? 그러니까 빨리 이리 줘. 넌 절대로 못 부숴."

보라가 윤정을 노려보았다.

무슨 말이라도 해요.

윤정이 손을 뻗었다.

"머리 이리 줘. 내가 말했지. 꼬리가 노출되면 꼬리를 자르고 나머지는 살아야 한다고."
"누가 누구 꼬리예요!"

둘의 신경전을 보던 마리가 담배 하나를 더 꺼내 불을 붙였다.

"신기하네. 예비 마녀 씨, 쟤는 네 잠을 빼앗아 말려 죽이려고 한 애야. 그러니까 쟤는 내버려 둬. 주술에서 너는 빼 줄게. 우리 믿어. 윤정이 거짓말 하는 거 아냐. 자기 예비 마녀한테는 거짓말 못 해."

윤정이 고개를 끄덕였다.

"사실이야. 규칙 확인해 봐도 돼. 기억도 지워 줄게. 죄책감 느낄 것도 없어."

그랬지. 당신은 나에게 '규칙'을 일깨워 줬어. 그래서 나는 망토의 쓰임새를 알았어.

하지만 나를 믿어서 그런 게 아니잖아. 우리가 사장과 직원이라 그런 게 아니잖아.

나를 위하는 마음에 그런 건 아니잖아.

그냥 나랑 당신이 묶여 버려서, 그런 거잖아.

"예비 마녀 강보라. 널 무리로 부른 마녀 소윤정이 명령한다. 머리 이쪽으로 던져."

그래서, 내 팔은 이렇게 내 의지를 배신하는데.

보라의 팔이 천천히 펴졌다. 보라의 두 손이 머리를 윤정에게 던지려는 순간.

"싫어!"

보라는 온몸을 돌려서 벽에 세게 부딪친 뒤, 반동으로 윤정이 움찔거린 사이 계단을 달려 올라가기 시작했다.

당신에게 절대 넘기지 않을 거야.

어떻게든 내 손으로 부수고 말겠어.

12. 콘서트에 같이 가야 해

윤정은 자신의 예비 마녀를 해치는 것에 본능적으로 두려움을 느꼈다. 마리는 거침없었지만 느렸다. 그리고 보라는 전력을 다해 달리고 있었다. 먼저 2층까지 올라갔다. 2층은 사방이 천으로 가려져 캄캄했다. 아무것도 보이질 않아. 여기 갇히면 끝이야. 두리번거리는 찰나 뒤에서 송곳이 날아와 보라의 팔을 스치고 허리에 묶은 은신 망토를 찢었다.

"서, 강보라!"

윤정이 성을 붙여 이름을 부를 때마다 무릎을 꿇고 싶었다. 하지만 그러면 주은이는 어떻게 되지. 깨어나지 못 할 거야. 나도 주은이를 잊을 거야.

그건 싫어.

나 아직 콘서트 티켓 비용 안 갚았어. 콘서트 당일에 주려고 했단 말야. 그래야 현장에서 굿즈 살 때 쓰기 쉽잖아. 주은이가 제일 좋아하는 루시 프로필도 달달 외워. 소아랑 루시 둘이 찍힌 직캠만 유에스비에 하나 가득 찼어.

주은이가 사라지면, 그건 어떻게 돼? 나는 혼자 콘서트에 가나?

아니면 그것도 전부 사라지나? 내가 주은이 성화에 못 이겨 씨엘즈 노래를 듣던 기억도 날아가나?

그건 싫어. 혼자 콘서트에 가는 것도, 씨엘즈를 모르게 되는 것도 싫어.

마리의 지팡이 소리가 점점 가까워졌다. 숨이 찬 듯 헐떡거리며 마리가 말했다.

"쟤가 밴시포켓 게시판에 뭐라고, 썼, 냐면, 말이지. 으으. 아무도, 자길, 안, 깨웠, 콜록! … 으면 좋겠대. 부모님도 선생님도 자길 내버려 두는 게 소원이래. 자고 싶대. 소원이 고작 그거야. 으으으. 진짜 담배 끊어야지. 아우. 너, 잘 생각해 봐. 쟤가 깨어나서 못 자는 생활로 돌아가면 너랑 쟤가 행복할까? 콜록, 콜록. 아, 윤정 씨! 안 오고 뭐 해!"
"먼저 가! 얘 갑자기 꿈틀거려!"

주은이가?

마리가 아래쪽으로 시선을 돌렸다.

"콘택터랑 거리가 벌어져서 그래! 같은 방 안에 있어야 된다고! 애를 들고 오든가!"
"무거워! 게다가 펄떡거린다고!"

윤정의 대답에 마리가 빽 소리 질렀다.

"그러면 그냥 때려서 기절시켜! 목숨만 붙어 있으면…"

장유유서 엿 먹어라. 보라는 계단을 달려 내려가 마리의 지팡이를 걷어차 날려 버렸다. 중심을 잃은 마리가 넘어졌다. 쿠당탕, 몇 계단을 굴러 내려가는 소리가 들리자 보라는 통쾌한 기분을 가슴 가득 느끼며 날아오르듯 3층까지 올라갔다.

하지만 거기서 막혔다.

등 뒤는 창틀. 창틀 아래엔 저수지.

얼마나 오래 은신 망토를 뒤집어쓰고 있었는지 체크하는 것도 잊었다.

즉, 은신 망토를 몇 분이나 더 쓸 수 있는지도 기억나지 않았다.

콘택터가 눈을 뜨려는 듯 품 안에서 들썩였다. 역시 아직도 예쁘고 사랑스러웠다.

하지만 부숴야 하는데. 이걸 내 손으로 부숴야 주은이가 깨어나는데.

이제 마리는 바닥에서 살짝 뜬 채 공중에 멈춰 있었다.

"윤정이가 너를 못 해쳐도, 나를 도와줄 수는 있지."

자신만만하게 마리는 말했다. 그러나 보라는 중요한 단서를 놓치지 않았다. 마리의 발끝이 불안하게 흔들리고 있었다. 마리를 움직이고 있는 윤정이 더는 힘을 쓸 수 없게 된 모양이었다. 시간을 끌면 되나. 마리는 떠 있는 것만으로도 벅찬 듯 무언가를 던지지는 않았다. 아니, 이 방 안에는 던질 것도 없었다. 오로지 창문과 벽과 천장뿐.

"야, 안마리! 내가 올라가는 게 빠르겠다!"

윤정의 목소리가 들리고 마리가 바닥으로 떨어졌다. 쿵쿵쿵쿵, 순식간에 윤정이 혼자 뛰어 올라왔다. 바닥에 내동댕이쳐진 마리는 욕을 내뱉더니 주위를 살폈다. 던질 수 있는 게 없다는 사실을 알아차렸는지, 마리는 두 손을 쭉 뻗었다. 꿈틀거리는 콘택터. 이 방 안의 유일한 '물체'이자 마리가 원하는 것.

그리고 보라가 절대 내주지 않으리라 마음먹은 것.

보라는 온몸으로 콘택터를 끌어안고 버텼다.

"힘 좀 더 쓰시죠? 제 몸무게만큼만요!"

그럴 힘이 있었다면 진작에 보라를 제압했을 테니, 마리에게 그럴 여력은 없을 터였다. 윤정은 계단 한 칸 아래에서 허탈한 표정으로 보라를 보고 있었다.

"보라야. 그만하자. 어쩌려고 이래."
"어쩌긴요. 이거 제가 부수겠다고요."
"부수는 방법도 모르잖아."

마녀는 예비 마녀에게 거짓말을 하지 못한다.

그렇다면 승산은 있다.

마녀의 법칙을 따라, 반드시 진실이 나와야 하는 질문을 던지면 된다.

"소윤정 선배님, 콘택터를 부수는 방법은 뭐죠?"

보라가 쥐어짜듯 외친 질문에, 윤정은 너무나 쉽게 답을 말했다.

"콘택터 사용자의 키보다 깊은 물에 집어넣어. 10분 이상."

좋아.

제일 중요한 건 알아냈어.

그런데 이걸 어떻게 물에 던지지?

그때 윤정 옆에서 난간이 부서졌다.

마리가 반쯤 바닥에 엎드린 채로 난간 쪽으로 팔을 뻗어, 난간 일부를 뜯어내고 있었다.

끝이 삐죽삐죽한 나무토막이 마리의 손에 잡혔다. 윤정이 몸을 날려 마리의 손을 밟았다.

"비켜, 소윤정! 너는 쟤를 못 죽여도, 나는 죽일 수 있어! 난 제명당했다고. 처벌 대상도 아니야!"

버둥대는 마리를 찍어 누르며 윤정이 헤드록을 걸었다.

"네가 쟤를 죽일 수는 있지! 그러면 나도 반 죽잖아! 묶였으니까! 내가 미쳤다고 제명당한 마녀 말을 믿냐!"

허어.

개싸움이로세.

잠시 멍해진 보라의 품에서 콘택터가 더 거세게

꿈틀거렸다.

살아 있는 것 같다. 작은 동물이 꼬물거리는 것 같다.

꿈틀거릴수록 사랑스럽다. 몇 번이고 입 맞추고 싶다.

하지만 이걸 물에 담가야 해.

바깥은 저수지야. 수심은 충분해. 예전엔 여기 낚시꾼들도 많이 왔지.

하지만 여긴 3층인데?

10분 이상, 물 안에서 들키지 않고 버틸 수 있는 방법은…

은신 망토를 쓰고 물로 뛰어드는 것뿐이다.

보라는 머뭇거렸다. 여기서 뛰어내리라고? 나하고 머리가 둘 다 망토를 쓰면 유효 시간 마감이 더 앞당겨지나? 호수가 내 키보다 깊어야 할 텐데. 아니, 침착해. 버틸 수 있어! 숨어서 숨 쉬고, 머리만 담그면 돼!

보라는 한 팔에 콘택터를 끼고 은신 망토를 뒤집어썼다. 창틀 위로 올라가 조심조심 웅크렸다. 그때, 마리 위에 올라타 있던 윤정이 나동그라졌다. 마리가 흐트러진 머리카락을 얼굴에 붙이고 비틀비틀 일어섰다. 손에는 일렁거리는 검은 난간 조각이 들려 있었다.

"말로 하려고 했는데. 망토 썼나 보네? 아직은 네 모습이 안 보이지만 그거야 이 조각이 어디 꽂히는지 보면 알 수 있겠지."
"보라야, 위험해!"

윤정이 쓰러진 채 소리쳤다.

안마리가 비틀비틀 다가왔다. 보라에겐 더 물러날 곳이 없었다. 마리와 보라 사이의 거리가 점차 줄어들었다. 5미터, 3미터. 보라는 팔꿈치로 창문을 세차게 쳤다. 열리지 않는다. 그래도 흔들리긴 했다. 시선을 돌려야 해. 무엇이라도 좋아. 뭐든 나타나 준다면.

그리고 보라는 주머니 안에 든 소환 스톤을 떠올렸다.

이 이야기는 첫 장으로 되돌아간다.

13. 우리가 서로 아낌이 사랑과 같으니

고라니는 강력했다. 하지만 자신의 엉덩이를 걷어찬 사람에게 호의를 느끼지는 않는 것 같았다. 고라니는 마리를 이마로 들이받아 윤정에게로 날려버렸지만, 보라가 다음 행동을 취하기도 전에 이번에는 보라에게로 돌아섰다.

"야, 야! 잠깐만, 말로 하자!"

감히 내 엉덩이를 걷어찼겠다. 그렇게 말하기라도 하는 듯 고라니의 두 눈이 빛났다. 꿰에에엑. 강렬한 울음소리를 내뱉은 고라니는 보라에게 달려들었다.

"으와아악!"

정말 본능적으로, 살고 싶어서 보라는 고라니의 앞발을 콘택터로 막았다. 뭔가 부서지는 소리가 난 것 같기도 했다.

문제는, 고라니의 분노 어린 앞발 킥이 불러온 충

격파였다.

보라가 콘택터로 약간의 충격을 막았지만 무게가 실린 킥은 보라의 몸을 밀어붙여 창틀을 부순 후 그대로 보라를 아래쪽으로 날려 버렸다.

두 번 충격이 왔다. 창틀을 몸으로 부술 때 한 번, 저수지에 떨어질 때 한 번. 첫 번째 충격에 아슬아슬하게 날아갈 뻔한 제정신을 두 번째 충격은 깨끗하게 날려 버렸다.

보라는 걸쭉하고 차가운 물이 코로 들어오는 아픔을 느끼며, 의식을 잃었다.

온몸이 축축하다. 그리고 기분이 더럽다. 비 맞는 것과는 차원이 다른 더러움이었다.

보라는 눈을 떴다. 바로 옆에 표정을 구기고 잠들어 있는 주은이 보였다. 그렇다면 여기는 1층인가. 보라의 손에는 아무것도 들려 있지 않았다. 끝난 건가? 보라는 조심스럽게 몸을 일으켰다. 온몸이 체육대회 다음 날처럼 쑤시긴 해도 심각한 통증은 없었다.

"뼈는 안 부러졌나 보다…."

내가 대체 무슨 짓을 한 거지. 보라는 뒤늦게 자신의 가슴에 손을 얹어 보았다. 쿵쿵거리며 심장이 뛰었다. 나 죽으려고 한 거야? 지난 24시간 동안 벌어진 일들이 주마등처럼 머릿속을 스치고 지나갔다. 일어나 앉은 보라의 앞에 윤정이 섰다.

"깼냐."

으득, 반사적으로 이가 갈렸다. 저 사람, 주은이가 죽도록 내버려 둘 생각이었지. 윤정은 어깨를 으쓱하며 보라 앞에 따뜻한 코코아 한 잔을 내려놓았다. 당신이 주는 걸 내가 왜 마셔요, 라고 쏘아붙이기엔 너무 추웠다. 보라는 덜덜 떨며 코코아 잔을 받아 한 모금 들이켰다.

따뜻하고 묵직한 액체가 목을 타고 위장으로 천천히 내려갔다.

"우욱."

그리고 강렬한 구역질이 올라왔다. 보라는 소파 아래에다 코코아를 그대로 토해 버렸다. 아, 진짜! 보라가 쏘아보자 윤정은 무릎을 꿇고 앉아 보라가 토해 낸 것을 찬찬히 살폈다.

"이상한 걸 먹진 않았네. 구토제 섞은 거 맞아. 여기 저수지 물이… 끔찍하더라고."

윤정은 보라의 어깨에 담요를 둘러 주었다.

"그 여자, 는, 요?"

한 번 데우기라도 한 듯 따뜻한 담요의 온기를 느끼며 보라가 물었다.

"안마리? 튀었어. 내가 너 건지러 1층으로 내려간 사이에 도망갔나 봐."

"그 사람 다리 불편하잖아요."

윤정이 "마녀니까 날아갔겠지."라며 일어섰다. 그런가. 보라는 담요를 머리까지 덮어썼다.

"잘했어. 콘택터는 부서졌어. 물이 깊기도 했는데, 안마리가 온갖 마법 폐기물을 거기에 다 버렸나 봐. 내가 갔을 때는 온갖 게 달라붙어서 콘택터를 뜯어 먹고 있더라."

윤정이 코코아 한 잔을 더 타는 듯 달콤한 냄새가 났다. 이번에는 자신의 몫이었는지, 컵을 입에 대며 윤정이 물었다.

"그런데 넌 왜 그런 무모한 짓을 한 거야? 잘못하면 진짜 안마리 빼고 우리 셋 다 죽었다."

"사람들 평균 수명이 짧았던 시대에 태어나셔서 모르시나 본데, 현대인은 수명이 길어서 나쁜 일을 하면 오래 고통받아요."

"농담도 하는 걸 보니 제정신이 들었구만."

헛웃음을 짓는 윤정의 옷도 흠뻑 젖어 있었다. 보라는 미안함을 느끼며 코코아를 한 모금 더 마셨다. 우웩, 또 구역질 난다. 다시 타 달라고 해야지.

"그런데 저를 어떻게 찾았어요? 은신 망토 썼는데."

"안마리가 너 공격할 때 망토 찢어진 것 같아. 네 팔 윤곽이 보이더라고."

아, 그때. 그랬구나. 보라는 진저리를 치며 컵을 멀리 밀어 놓았다. 윤정은 방 안을 천천히 돌아다니며 물건들을 살펴보았다.

"비싸 보이는 것들이 좀 있네. 해외에서만 파는 재료들도 있고. 이거면 돈은 좀 벌겠다."

윤정이 콧노래를 부르다 보라를 돌아보았다.

"정식으로 산재 처리는 안 되지만, 신세는 갚게 해 줄래? 예비 마녀에게 빚을 지는 건 곤란해서."
"됐고 주은이나 깨워 주세요."
"아하. 맞다. 수면제 약효는 다 되었을 텐데."

윤정은 주은의 곁에 털썩 주저앉더니 주은의 몸을 이리저리 쿡쿡 찔러 댔다.

"음. 이건 역시 그건가. 마녀가 죽으면 나타나는 주술의 부작용?"
"아, 쫌!"

그럼 안마리를 잡아 와야 해결되는 거냐고요! 보라가 버럭 화를 내자 윤정이 키들키들 웃었다.

"오해하지 마. 가장 흔한 부작용이라 이미 오래전에 치료 방법이 나와 있어."

그렇다면야 다행입니다만.

"그래서 어떻게 하면 되는데요?"

윤정이 부엌으로 가 찬장을 뒤지더니 액상 가글을 꺼내 왔다.

"가글부터 해라."
"예?"

윤정이 액상 가글을 보라에게 들이밀며 채근했다.

"사랑하는 사람의 키스가 약이야. 아, 딥 키스까진 필요 없대. 기절한 사람 턱 근육이 강직되어 있을지 모르니까. 그래도 가글은 하는 게 낫겠지? 너 방금 토했고."

아니, 저기요. 아니.

"빨리해 봐. 내가 마녀로 오래 살았지만 키스로 부작용을 해소하는 현장엔 있어 본 적 없거든. 응? 에이, 넌 방금 주은이 살리려고 목숨도 걸었잖아. 자격 있어. 할 수 있다니까?"

그 문제가 아니고요.

"혹시 너나 주은이한테 다른 애인이 있어도 상관없어. 지금 말하는 사랑은 에로스라기보단 필리아라서-"

"아, 전 가족하고 사촌 동생 말고는 뽀뽀해 본 적 없다고요!"

젠장.

수치스럽다.

아니, 이 판국에 그게 중요하진 않아요. 알아요. 주은이 목숨이 달린 거나 마찬가지고, 저는 한 번 목숨 걸었고. 그래도, 그래도 말이죠. 최소한 좀.

"눈이라도 감고 계시면 안 되나요?"

보라의 간절한 부탁을 윤정이 웃으며 잘랐다.

"처음 보는 부작용 해소 현장이라니까? 그걸 어떻게 놓쳐. 빨리해. 네가 눈 감으면 되지!"

아아아.

덕심은 사랑이고, 덕친은 사랑을 공유하는 사이라지만, 이렇게까지 될 줄이야.

"뽀뽀해! 뽀뽀해!"

짝, 짝 박수까지 치며 응원하는 윤정을 보고, 보라는 가글 액을 입안에 머금었다.

주은아, 우리 이건 둘만의 비밀로 간직하기로 해.

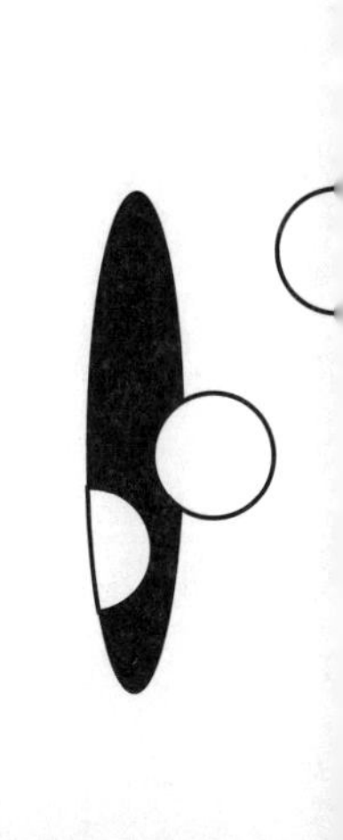

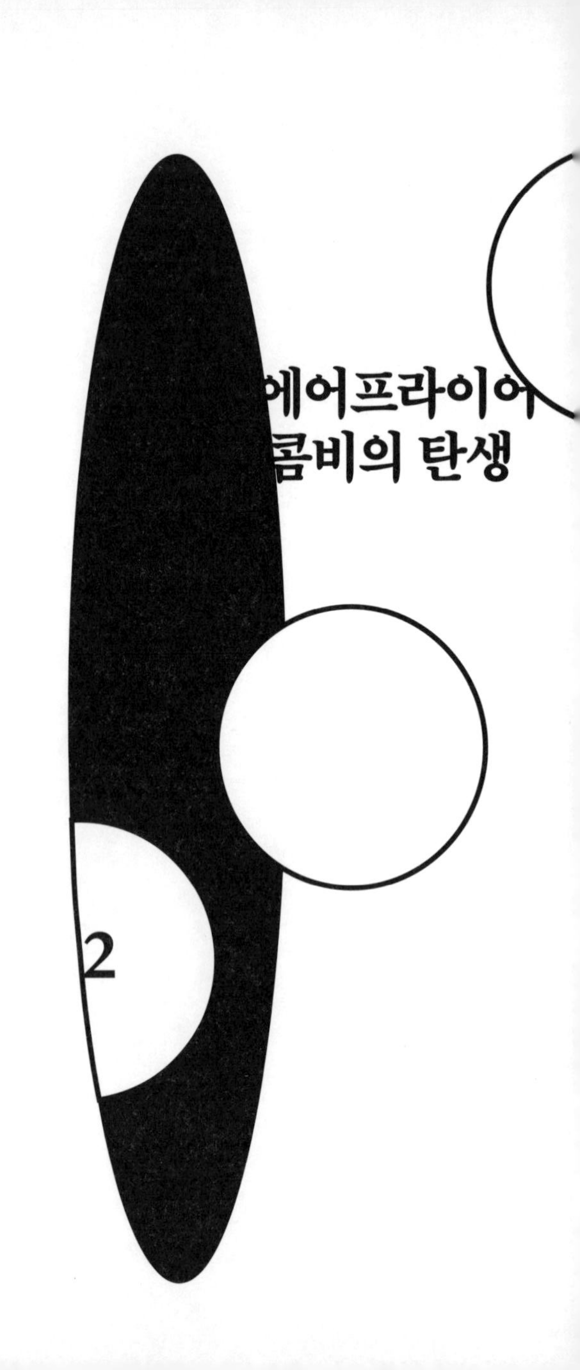

2

에어프라이어 좀비의 탄생

1. 열세 살이면 충분히

판교에는 대안학교가 하나 있다. 이름하여 김앤장 드림학교. 초중고 과정을 이수할 수 있도록 교육부 인가를 받은 학교다. 하지만 이 학교에 다니려면 특별한 조건이 붙는다. 바로 초능력자여야 한다는 것. 대한민국 인구의 1%가 초능력자라고 해도 거의 50만 명이다. 50만 명이면 2020년 대학 정원 인원인 48만 명에 근접한다. 한 해의 모든 대학 신입생을 초능력자로만 꽉 채울 수 있다는 애기다. 뭐, 자기가 초능력자라는 사실을 숨기고 사는 사람도 있고, 아주 뒤늦게서야 초능력이 나타나기도 하니 '학생 초능력자'는 실상 얼마 되지 않는다. 김앤장 드림학교 초등부 학생을 모두 합쳐도 70명 정도. 그 중 한 명인 세이는 지금 자신의 절친이자 몇 안 되는 동갑내기 친구를 한심한 눈으로 바라보고 있다. 초등부 6학년이면 1년 뒤에는 중등부 학생이 될 사람인데, 내 친구는 대체 왜 이럴까.

그 학생의 '한심함'이란 이미 여러 방면으로 학교 내에 소문난 지 오래다. 초등부 공부의 핵심인 '초능력 제어' 과목에선 늘 바닥을 기었고, 얼마 전엔 무단으로 심야 외출을 했다가 지도교사인 유월 쌤에게 질질 끌려 돌아왔다. 미카엘. 엄마 성인 '라'에 아빠 성까지 합치면 미카엘 라 르블랑. 생일도 성 미카엘 축일인 9월 29일. 금발 천사 같은 예쁘장한 외모에도 불구, 교내 공식 찐따다. 하지만 세이가 지금 그런 미카엘, 통칭 미카엘라를 한심한 눈으로 바라보고 있는 건 결코 성적과 평소 행실 때문은 아니었다.

"나, 사랑에 빠진 것 같아."

미카엘라가 두 손을 모으고 '기도하는 아이' 포즈로 천장을 올려다보며 한 말 때문이었다. 허공을 보고 히죽히죽 웃질 않나, 다른 애들이 괴롭혀도 멍하니 있질 않나. 평소에 누가 한 대 쥐어박으면 눈물부터 흘리던 미카엘라가 어쩌다 이렇게 되었을까. 차라리 징징 짜라. 그게 낫겠다. 그렇게 판단한 세이가 어르고 달래자 내놓은 말이 사랑이라니. 아, 짜증 나. 네가 아무리 예뻐 봐야 열세 살 남자애고 남자애가 얼굴 붉히는 건 역시 불쾌해. 이런 얼굴을 보겠다고 널 괴롭히던 애들의 절반 이상을 내가 처리한 게 아니란 말이다.

"응? 세이야아아아. 나 도와주라. 도와줄 거지? 응?"

제발 그 울망울망한 눈망울 좀 거둬 주라. 골든레

트리버 강아지 같은 얼굴 하지 마. 하지 말라고. 저 얼굴로 아이돌이 된다면 생일마다 지하철 광고판 열 개쯤에는 광고가 뜰 텐데, 불행히도 능력 제어가 깡통인 초능력자지.

"뭘 도와달라는 거야?"

세이는 퉁명스럽게 내뱉었다. 아마 자신은 분명이 멍청이를 도와주게 될 거라고 생각하면서. 미카엘라가 바보 멍청이긴 하지만 남에게 뭘 부탁하는 애는 아니었다. 부탁할 줄 모르는 건가 생각했는데, 그건 아닌 모양이다. 미카엘라는 또 배시시 웃으며 얼굴을 붉히더니 말했다.

"나, 택배 하나만 시켜 주라."

무슨 정신 나간 소리지. 결론부터 들은 세이의 머리 위에 물음표가 떴다. 처음부터 차근차근 이야기하라고 하자 미카엘라는 술술 불었다. 요약하자면, 무단 외출로 유월 쌤에게 잡혀서 끌려온 날, 봇들공원에서 자기를 구해 준 마녀 누나를 사랑하게 되었다고. 그런데 그 누나가 택배 배달을 한다는 거다. '위치스 딜리버리'는 여자에게만 택배를 전달해 주기 때문에 자기는 만날 수가 없다는 게 미카엘라의 설명이었다. 아, 내가 여자라서 나보고 도와달라고 한 거였냐. 세이는 자신의 초능력인 '감각 복사'와 '감각 붙여 넣기'를 사용해 미카엘라의 얼굴에 자신의 답답한 속마음을 확 던져 버리고 싶었다. 마음을 복사, 붙여 넣기 할 수 있었다면 좋았을걸.

어린 게, 라고 말할 수도 있겠지만 미카엘라는 열

세 살이다. 열세 살이면 충분히 사랑에 빠질 수 있다. 옛날에는 열 살만 되어도 결혼을 했다지 않나. 조혼 풍습이 사라진 지는 오래더라도, 열세 살은 누군가를 사랑하기에 어린 나이는 아니다. 세이는 먼 하늘을 바라보며 한숨을 쉬었다. 그래, 나도 한국 나이로 열두 살 때부터 이 멍청이를 좋아했으니 어쩌겠어. 세이가 어째서 미카엘라를 좋아하게 되었냐면, 같이 있다 보니 정들었다고 말할 수밖에 없다. 그리고 둘을 진득하게 붙어 다니게 한 건 다름 아닌 김앤장 드림학교였다. 세이의 집이자 미카엘라의 집. 초능력자 아동 청소년 보호 기관. 전원 기숙사제. 이 이야기는 그곳에서 말 그대로 지지고 볶는 이야기다.

2. 초능력 테스트 낙제 콤비

한국 교가에는 왜 꼭 산과 강이 들어가는 걸까? 청계산 줄기 따라 높고 강하게, 탄천의 물 따라 맑고 바르게. 김앤장 드림학교의 교가에도 산과 강이 들어갔다. 개뿔이. 학교는 청계산에서 한참 떨어져 있고 탄천 물은 꾸준히 수질 개선이 필요한데. 그래도 김앤장 드림학교라는 이름은 납득할 수 있다. 이름이 왜 김앤장이냐면, 초대 교장이신 김말녀 할머니와 장수상 할아버지의 성을 따서 지었기 때문이다. 두 분은 6.25를 겪으며 초능력자 고아들을 다수 돌보았고 아이들의 특수성에 따라 새로운 교육이 필요함을 체감하여… 블라블라블라. 여기까지는 홈페이지 학교 소개란에 나오는 이야기니 대충 넘어가자.

요약하자면 김앤장 드림학교 애들은 일반 학교가 교육하기 난감한 애들로 취급받고 있다. 뭐, 틀린 말은 아니지. 8세에서 19세 사이의 초능력자는 그야말로 모닥불 옆에서 캠프파이어와 술래잡기를 동시에 하는 부탄가스니까. 전원 기숙사제 학교인 것도 그래서다. 24시간 감시가 필요한 거다. 세이는 자신의 처지가 미카엘라보다는 훨씬 낫다고 생각했다. 세이는 열두 살에 "초능력자 학교에 들어가고 싶어요."라며 학교에 자기 발로 걸어 들어왔다. 세이의 부모님은 어릴 때부터 기숙사 생활을 시켜야 한다는 점 때문에 적극적인 반대를 표했다. 하지만 '능력 조절이 안 되는' 어린 초능력자가 다른 사람에게 피해를 입히지도, 피해를 당하지도 않는 것은 불가능했다. 그래서 세이는 "능력을 잘 조절하게 되면 집으로 돌아와서 다른 학교 다닐게요."라고 부모님을 설득해 드림학교로 왔다. 미카엘라는, 간단히 말하자면, 이 학교에 버려졌다.

미카엘 라 르블랑이라는 이름만 봐도 알 수 있듯 미카엘라는 프랑스 혼혈이었다. 국적은 모르겠다. 형제가 있는지 없는지도 모르겠다. 미카엘라가 말을 안 했으니까. 미카엘라는 여덟 살 때부터 이곳에 있었다. 엄마랑 아빠가 나보고 여기에 다니라고 했어. 첫 대면에 미카엘라는 세이에게 딱 그렇게만 설명했다. 그 과정에서 대화와 수긍을 충분히 거쳤을까? 세이는 아닐 거라고 생각했다. 여덟 살은 자신이 어디에서 살지를 스스로 정하기엔 너무 어린 나이다. 미카엘라의 부모는 한 번도 학교에 찾아오지 않았다. 세이의 부모님이 가족 단톡방에 수시로 메시지를 날려 대는 것과는 대조적으로. 미카엘라는 "전화할 사람이 없어."라며 휴대폰도 안 가지고 다녔다.

그래서 세이는 처음엔 미카엘라를 불쌍하다고 생각했다. 둘이 짝을 지어 서로의 능력을 조절해야 한다며 학교에서 소개해 준 아이가 미카엘라였다. 여덟 살에 들어왔는데 열두 살까지 짝을 못 찾았다면 대충 견적이 나오지. 열두 살짜리가 한 명만 있는 것도 아닌데. 불쌍한 아이니까 내가 잘 대해 줘야지. 세이는 스스로가 기특하다고 생각했다. 능력 제어 낙제점을 받기 전까지.

"낙제요? 제가요? 진짜요?"

세이는 기가 막혔다. 아니, 제가 어디 가서 신동 소리는 못 들어도 덜떨어진다는 소리는 들은 적이 없는데요! 그런데 제가 낙제라고요? 세이 앞에 앉은 다섯 명의 시험관은 만장일치로 낙제를 선언했다. 원래는 일곱 명이어야 하는데 왜 다섯 명이냐면 세이의 초능력 제어를 테스트하다 두 명이 기절했기 때문이었다. 대표 시험관이 차분하게 설명했다.

"세이야. 사람의 초능력은 보통 두 가지로 나뉜다고 했지? 네 능력은 간단하게는 '감각 공유'지만 자세하게는 두 단계로 나눌 수 있어. 하나는 네 감각이나 타인의 감각을 복사하는 능력이고, 하나는 복사한 감각을 너나 타인에게 붙여 넣기를 해서 느끼게 하는 거지."

"네. 그래서 지금 시험을 본 거잖아요."

"시험관을 두 명이나 기절시키는 초능력자는 확실히 낙제란다. 한 명만 기절시켜도 낙제야. 미카엘라 이후로 이렇게 조절이 안 되는 학생은 오랜

만이구나."

"그 정도예요?"

미카엘라 수준이라니. 그 바보랑 동급이라고? 세이가 사태의 심각성을 조금씩 깨달아 가자 대표 시험관은 고개를 끄덕였다.

"조금 전 너는 우리 모두에게 감각 공유를 시도했어. 그렇지? 우리가 내 준 과제는 네 앞에 있는 그림책을 보고 우리와 시각을 공유하라는 거였고. 음, 나도 솔직히 네 감각을 정확히 공유받았는지는 장담을 못 하겠다. 하지만 기절한 두 분의 증언에 따르면 한 명은 콧구멍으로 검은색이 쑤셔 넣어지는 통증을 느꼈고 한 명은… 그래, 이건 그림책 선정이 잘못되었다는 걸 인정할게. 고흐의 <별이 빛나는 밤>을 보고 옮겼지? 한 명은 입안을 교회 첨탑으로 찔리는 통증을 느꼈다는구나. 두 사람 다 충분히 훈련받은 교사니 큰 부상을 입진 않았지만, 이 정도 제어력이라면 확실히 낙제가 맞아."

울상이 된 세이에게 내려진 처분은 '미카엘라와 열심히 연습해서 초등부 졸업 전에는 오감을 능숙하게 전달하는 능력을 갖출 것'이었다. 짝이 없는 사람은 미카엘라뿐이니 아무리 제어를 잘해서 높은 점수를 받더라도 짝이 바뀌지는 않을 테지만. 그래도 전교에 '찌질이 세트'로 소문이 나는 건 세이가 원하는 바가 아니었다. 게다가 그때의 미카엘라는 지금처럼 배실배실 웃거나 울망거리는 아이도 아니었다. 평소에는 우울한 표정을 지었고 괴롭힘을 당하면 혼자 울기만 했다. 세이가 미카엘라와 짝이 되었을 때 미카엘라는 말했다. 나도 내가 귀찮은 거 알아. 친하게 지내려고 노력 안 해도 돼. 세이의 눈을 보지도 못하고 땅에 시선을 박은 채, 작고 가느다란 어깨를 둥글게 만 미카엘라를 본 세이는 답답해졌다. 어디서든 자신을 괴롭히는 애들은 절대 가만두지 않던 세이였다. 초능력을 쓰건 목소리를 쓰건 주먹을 쓰건. 감정은 감각과 달라 복사해서 느끼지는 못했지만, 이 애가 시들어 가고 있다는 건 분명했다.

모른 척할 수도 있었는데, 다른 애들 틈에 끼어 들어가 미카엘라를 무시하고 살 수도 있었는데, 차마 내키지가 않았다. 세이는 딱 세 시간 동안 몰래 미카엘라의 감각을 공유해 보았다. 어떻게 살기에 애가 이렇게 시들어 빠지게 됐는지 궁금해서였다. 그 결과 초능력자 아이들이 다른 아이를 어떻게 괴롭히는지 온 감각으로 생생하게 체험할 수 있었다.

물건을 순간 이동시키는 초능력을 남의 옷 속에 벌레나 집어넣는 데 쓰는 건, 아무리 생각해도 능력 낭비잖아.

텔레파시로 머릿속에 욕설과 조롱을 박아 넣는 것까지는 견딜 만했다. 하지만 쉬는 시간에 전기 계열 능력자 아이가 미카엘라의 손 신경에 전기 충격을 줬을 때 세이의 인내심은 바닥이 났다. 자신이 미카엘라의 동의 없이 감각을 공유하고 있다는 것도 잊은 채, 신경이 느끼는 통증을 그대로 전기 충격 시전자에게 복사해서 붙여 넣었다. 시전자가 갑자기 손을 움켜잡고 바닥에 구르자 세이는 속이 시원해졌다. 어때, 니네가 하는 짓이 뭔지 알겠냐? 하지만 시원함은 아주 잠시였을 뿐, 누가 복사-붙여넣기 능력자인지는 너무나 뻔했기 때문에 당한 놈은 달려와서 세이의 멱살을 잡았다.

"너 미쳤냐?"
"이거 안 놔? 미치긴 니가 미쳤지!"

마주 소리를 지르면서도 무슨 공격이 들어올지 몰라 세이는 눈을 질끈 감았다. 그런데 아무 아픔도 느껴지지 않았다. 잡혔던 옷깃이 놓이는 걸 느끼고 눈을 뜨자, 미카엘라가 세이의 앞을 막고 서 있었다.

"하지 마."

덤비는 놈을 향해 손으로 막는 듯한 동작을 취하며 미카엘라가 말하자, 그놈이 뒤로 물러났다. 미카엘라는 세이의 구겨진 옷깃을 툭툭 털어 주었다.

"미안."

작은 소리로 미카엘라가 말했다. 미안하기는 내가 미안해야지. 세이는 자기 자리로 돌아가려는 미카엘라의 손목을 덥석 잡았다가 확 뿌리쳤다.

뜨거운 냄비에 손을 가져다 댄 듯한 감각을 느끼며 세이는 얼떨떨하게 미카엘라를 보았다. 아, 이건 정말 내가 사과해야 하는데. 하지만 입에서는 엉뚱한 말이 나왔다.

"너, 능력이 뭐야?"

미카엘라는 세이가 뿌리친 손목을 잡으며 작게 말했다.

"수업 끝나고 말해 줄게."

미카엘라의 초능력은 특이했다. 애초부터 미카엘라는 두 가지 초능력을 갖고 있었다. 하나는 발열 능력, 하나는 염동력. 자신의 손에는 상처 하나 입히지 않은 채로 접촉한 물체를 가열할 수 있고, 500g 정도의 물체를 원격으로 움직일 수 있었다. 뭐야, 배구공을 파이어볼로 만들 수 있다는 소리잖아. 세이는 감탄했다. 하지만 염동력을 섬세하게 조절하지 못하니 들어 올리는 것도 문제, 들어 올린 물체를 어딘가로 옮기는 것도 문제였다. 발열 능력은 문제가 더 심각했다. 미카엘라는 자신의 손과 손목이 얼마나 뜨거워지는지 모르기 때문에 제어를 못하면 책상이나 침대 등을 태워 버릴 수도 있었다. 그나마 발열 능력은 '쓴다'와 '안 쓴다'를 자신의 힘으로 조절하는 수준은 되었지만, 제어 가능한 부분은 그것뿐이었다.

미카엘라가 손을 내밀었다는 건 '전혀 제어할 수 없는 초능력'을 발휘하겠다는 의미였다. 마음 여리기로는 학교 탑인 미카엘라가 능력을 함부로 쓸 일은 좀체 없었지만, 일단 그렇게 '선언'하고 나면 아이들은 미카엘라를 피했다. 세이는 왜 미카엘라에게 친구가 없는지 알 것 같다고 생각했다. 가까이하기엔 너무 위험하다. 게다가 이 애는 쉽게 무너진다. 그렇지만 얘랑 나는 짝이잖아. 세이는 머리를 쥐어뜯고 싶었다. '짝'은 서로의 능력을 테스트하고 함께 제어하는 존재다. 일이 제대로만 돌아간다면 미카엘라는 세이를 통해 자기가 발산하는 '열'을 느낄 수 있을 거고, 세이는 미카엘라를 통해 자신의 '감각'이 제대로 공유되는지 확인할 수 있을 터였다. 하지만 이래서야,

그 전에 내가 죽을 것 같은데.

하지만 저렇게 시들어 빠진 애를 그냥 내버려 두는 것도 곤란하잖아.

얘가 나중에 커서 막, 세상을 불태워 버리는 빌런 같은 게 되면 어떻게 해. 그건 막아야지.

처음엔 그런 마음이었다. 세이는 '제어 불능'인 미카엘라가 삐뚤어지지 않게 돕고 싶었다. 미카엘라는 동갑인데도 남동생인 듯한 느낌을 주었다. 유기견 같은 표정을 짓고 있는 미카엘라의 어깨를, 세이는 두 손으로 꽉 잡았다.

"좋아. 내가 책임지고 너 사람 만들어 줄게."
"응?"
"나만 믿으라고."

이 말을, 훗날 세이는 하루에 다섯 번 정도 후회하게 되지만, 열두 살 그날만큼은 진심이었다.

그 뒤의 1년은 다음과 같은 상황의 반복이었다.

"아, 머릿속으로 스위치를 상상하고 돌리라고! 온도 낮춰! 천천히 녹이랬지 누가 태우래?"

달고나, 고구마, 계란 등 온갖 음식의 가열. 대부

분은 숯덩이가 되거나 폭발했고 몇몇 경우에는 아예 익거나 녹지를 않았다.

"아야야야, 세이야, 아파! 아파! 전달하지 마!"
"너 때문에 입은 화상이잖아! 그냥 받아들여!"

미카엘라의 열을 그대로 복사하다 세이가 입은 화상 통증의 전달. 아무리 학교에 전담 치료사가 있다지만 세이의 손에는 물집이 아물 날이 없었다.

"배구공 무게는 300g도 안 돼. 이걸로 염동력 자유투 백 번씩 한다. 90% 성공률 보일 때까지 맨날 할 거야."

원격 자유투. 90%를 성공시키는 날은 반년이 지난 후에야 왔다. 그동안 농구 골대 링이 열 번 넘게 부러졌고 미카엘라가 조준 미스로 세이나 자신에게 공을 날린 횟수는 셀 수도 없었다. 나중에는 온몸에 파스며 반창고로 도배를 하고 다녀도 '쟤네는 맨날 저러는구나.'라는 인식이 굳어져 아무도 걱정하지 않을 정도가 되었다. 미카엘라와 세이가 붕대 감기의 신이 된 것은 덤이다.

세이는 신기했다. 와, 내가 생각해도 정말 심하게 부려 먹는 것 같은데 미카엘라 애는 화를 안 내냐. 미카엘라는 울기는 해도 세이에게 화를 내지는 않았다. 화를 내기는커녕 오리 새끼, 아니, 새끼 오리처럼 세이를 졸졸 따라다녔다. 한번은 진지하게 물어보기도 했다. 너는 왜 나한테 화를 안 내? 화가 안 나? 미카엘라는 히, 하고 웃었다. 나한테는 너밖에 없잖아. 네가 뭘 하든 다 괜찮아. 아, 뭐지. 이런 대사를 막 던지는 금발 인형 같은 남자애라니. 하루 스물네 시간 중 잠자는 시간만 빼고 온종일 붙어 다닌 덕인지 미카엘라와 세이의 제어력은 나날이 발전했다. 그래 봤자 전교 꼴등인 건 마찬가지였지만. 그리고 미카엘라는 바보처럼 헤실헤실 웃을 줄도 알게 되었다. 세이에게는 그게 가장 뿌듯한 일이었다.

그러네. 그렇게 붙어 다녔으면 정이 들 만도 하지. "너 미카엘라 좋아하냐?"라는 질문을 받은 세이가 무심하게 고개를 끄덕이면서 한 생각은 '그럴 만도 하지.'였다. 동물원 원숭이랑도 이 정도 같이 다녔으면 정이 들겠다. 하물며 같은 종족에다, 저렇게나 예쁜 앤데. '좋아하냐'라는 질문을 던진 놈은 나름 세이를 놀려 보려고 했겠지만, 세이는 타격을 받지 않았다. 부끄러울 것도 없었다. 그래도 입막음은 해 두었다.

"소문내면 내 손에 와사비 바르고 네 눈에 촉각 전달한다."

초능력은 이럴 때 쓰라고 있는 거겠지. 세이는 우중충한 하늘을 올려다보며 고민했다. 아가페든 에로스든 생길 지경이긴 해. 그런데 나만 그런가? 미카엘라도 날 좋아하나? 열두 살은 그런 거 생각하기엔 좀 이른가? 대놓고 물어보긴 좀 그렇잖아.

그런데 지금 와서, 뭐?

사랑에 빠졌다고?

3. 그런 데 쓰라는 초능력이 아닐 텐데

야 임마. 미카엘라. 사람이 말이다. 1년 동안 키워 줬으면 나한테 어버이날 카네이션이라도 드리면서 효도해야 되는 거 아니냐? 그런데 낯선 사람을 딱 한 번 보고 사랑에 빠져? 그래서 한다는 부탁이 뭐, 택배? 아주 이걸 택배 상자에 넣고 알리 익스프레스에다 올려서 팔아 버릴라.

하지만 미카엘라의 부탁이라면 세이는 들어줄 수밖에 없었다. 먼저 좋아하는 쪽이 지는 거니까. 그러니 난 이미 졌어. 그 대신 택배는 네 돈으로 시키자. 좋아. 그래서 뭘 시키고 싶은데?

"어, 위치스 딜리버리에서 파는 걸 사면 되겠지?"

해맑고 딱한 자로다.

택배 회사에서 뭘 파냐. 넌 택배도 안 시켜 봤냐, 라고 윽박지르려다 세이는 입을 다물었다. 얘는 진짜 택배 안 시켜 봤겠다. 연락할 사람 없다고 휴대폰도 안 만드는 앤데. 한국에서 자기 명의 휴대폰이 없으면 인터넷으로 뭘 할 수가 없잖아. 친구도 없고, 부모님은 연락도 안 하고. 학교에서 먹여 주고 재워 주니 뭐 살 일이 있으면 외출해서 직접 사는 게 빠르겠네. 그렇군.

"택배 회사에선 물건을 팔지 않아. 배달을 하지."

"그렇구나."

진짜 몰랐나 보네.

미카엘라는 고개를 한참 갸웃거리다 좋은 생각이 났다는 듯 손뼉을 쳤다.

"그럼 옥상에서 택배가 올 때까지 기다리면 되겠다! 누나는 날아다니니까, 옥상에서 기다리면 만날 수 있겠지?"

"생각을 해라, 생각을. 그 누나 밤에 만났다며. 옥상에서 대기 타다 감기 걸릴래?"

세이의 핀잔에 미카엘라는 다시 울상이 되었다.

"그럼 어떻게 해…."

아아아. 어쩐지 고생은 내가 다 하게 될 거 같아. 세이는 한숨을 백 번 정도 쉬었다. 정보가 '위치스 딜리버리', '여자에게만 배달함', '이름 강보라' 이것밖에 없는데 뭘 어떻게 한담. 일단 옥상으로 올라가 보자.

세이는 미카엘라를 데리고 계단을 올라갔다.

"잠겼네?"

옥상 문에는 자물쇠가 달려 있었다.

"이러면 아예 옥상으로 갈 수가 없잖아. 자물쇠 망가뜨리면 바로 걸릴 거 같은데."
"으으, 지난번엔 이런 거 없었는데."

지난번이라.

"너 무단 외출하다 잡혀 들어온 날?"
"응. 나 그때 옥상에 있다가 감기약 왕창 먹고 잠들었거든. 근데 나 하늘에 떠서 날아다니면서 자고 있었대. 그래서 누나가 나 주워서 공원에 내려 준 거야."
"다시 말해 봐."

세이의 표정이 딱딱하게 굳었다.

"어, 옥상에서 감기약… 어, 세이야? 화난 거 같은데?"

세이가 미카엘라의 멱살을 잡았다.

"미쳤어? 죽으려고 작정했어? 감기약 먹고 옥상에서 잠들었다고? 네가 공중에 떠서 자는 게 아니라 떨어지기라도 했으면 어쩌려고?"
"아…."

생각 같아서는 아예 두들겨 패고 싶었지만, 그럴 수는 없었다. 미카엘라가 멱살을 잡힌 채 고개를 숙였다.

"미안. 죽어도 상관없다고 생각한 거 맞아. 나 또 낙제했잖아. 그게 너무 힘들어서 그랬어."
"나한테 말을 하지! 너랑 내가 낙제 한두 번 해? 그때마다 죽으려고 했어?"

윽박지르는 세이의 말에도 미카엘라는 고개를 들지 않았다.

"그건 아니야. 그런데 이번엔 정말 힘들었어. 재시험 보면 되는 거 아는데, 너는 맨날 나 때문에 다치고, 나는… 어떻게 해야 할지 모르겠고."

빠악, 소리가 나게 세이가 미카엘라의 정수리에 박치기를 했다.

"잘하는 짓이다! 한 번만 더 그래 봐. 내 손에 죽어."
"안 그럴게."

미카엘라가 고개를 들고 희미하게 웃었다. 하아. 내가 진짜 너 때문에 못 살겠다. 세이는 답답해하다가 문득 의문을 품었다. 혼자 공중에 떠 있었다고? 그럼 얘가 염동력으로 들 수 있는 무게가 500g 이상이라는 거잖아.

제어를 못 하면 별수 없지만, 1kg도 못 든다고 실망하진 않아도 되겠네.

마녀가 배달하는 물건이란 아마 마녀가 팔 만한 물건이겠지. 세이와 미카엘라는 머리를 맞대고 검색에 돌입했다. 미카엘라는 학교 컴퓨터, 세이는 자기 휴대폰으로. 그리고 알게 된 건 세상에는 주술용품을 파는 쇼핑몰이 생각보다 많다는 사실이었다. 음이온이 나오는 팔찌를 대체 왜 주술용품 사이트에서 팔고, 사람들은 뭣 때문에 그걸 거기서 사는 거야? 그럴싸한 사이트를 찾는 데만 몇 시간이 걸렸다. 그다음은 일사천리. 미카엘라가 모아 놓은 용돈으로 '주술 스톤 5종 세트'를 사고, 받는 곳은 김앤장 드림학교 옥상으로 입력했다. 배송 메시지는 "반드시 직접 전달해 주세요."로 해서. 배송에 3일쯤 걸린다고 하니까, 이제 우리는 옥상만 열면 된다.

근데 열쇠를 어디서 구하냐.

"여기 기숙사 옥상이니까, 유월 쌤이 자물쇠 열쇠 갖고 있지 않을까?"

소방법 때문에 원래 옥상은 잠그면 안 되는 건데. 그래도 잠겼다면 뚫을 수밖에. 초능력이 열쇠 따기 같은 거면 좋았을 텐데 우리 능력은 그쪽으론 영 쓸모가 없네.

"유월 쌤 시각을 훔치면 안 되나? 열쇠는 염동력으로 빼내면 되잖아."

미카엘라가 묻자 세이가 투덜거렸다.

"안 돼. 내가 전에 시도해 봤거든."
"엥?"

아차. 말실수했다. 세이는 황급히 화제를 돌리려 했지만 이미 엎질러진 물이었다.

"세이 너어어어."
"아, 전에 쌤이 내 휴대폰 압수했단 말야! 나도 잠금 서랍 열쇠 찾으려고 유월 쌤 시각 스틸하려고 했는데 안 되더라."
"나한테만 뭐라 그러고!"
"네가 한 짓이랑 내가 한 짓이 같냐!"

틀렸네. 틀려먹었다. 열쇠를 어디서 언지? 어떻게

알아내냐. 세이가 고민하던 사이 미카엘라가 세이의 휴대폰을 쥐고 옥상 문으로 다가갔다. 뭘 하려는 거지. 미카엘라가 자물쇠를 쥐고 빤히 들여다보더니 휴대폰에 무언가 입력했다. 잠시 후 미카엘라가 열린 자물쇠를 달랑달랑 흔들어 보였다.

"풀었어!"
"엥? 어떻게 한 거야?"

미카엘라가 배시시 웃었다.

"자물쇠 구조 검색한 다음 염동력으로 안에서 막 누르고 돌리니까 열렸어."

그런 데 쓰라고 있는 초능력이 아닐 텐데.

네가 삐뚤어지지 않아서 참 다행이다, 미카엘라야.

그날 밤 세이는 처음으로 가위에 눌렸다.

미카엘라가 웬일로 무언가를 잘하는 걸 본 탓일까, 아니면 옥상 문을 몰래 땄다는 죄책감 때문일까.

기숙사 룸메이트는 잠들어 있었다. 새근새근 숨소리가 들렸다. 세이는 손가락 끝을 움직이려고 노력했다. 손가락 끝부터 움직이면 가위가 풀린댔어. 그런데 가위가 풀리기는커녕, 날카로운 무언가가 손끝에 박히는 통증이 왔다.

아프잖아. 이게 뭐야.

눈도 떠지지 않았다. 세이가 정신을 집중하려는데 머릿속으로 목소리가 들렸다. 걸걸한 목소리에 까악, 까악 하는 소리가 함께 들렸다. 까마귀구나.

보지 않아도 알 수 있었다. 한 마리가 아닌 듯, 두어 개의 목소리가 함께 들렸다.

"이 애야?"
"이 애야."
"초능력자인데?"
"초능력자구나."

뭐지? 뭐가 나라는 거야? 세이는 묻고 싶었지만 질문은 전달되지 않는 듯했다. 목소리 둘은 뭐가 좋은지 까악까악 웃었다.

"비싼 영혼이야."
"비싼 영혼이네!"
"마녀는 조심해야 하는데."
"어리고 비싼 영혼이야!"

마녀?

그럼 주술 스톤을 산 것 때문에 나한테 온 거야?

뭔가 잘못됐어. 일어나야 해. 세이는 이를 악물었다. 턱만 아플 뿐, 몸은 풀리지 않았다. 대신 손끝에 느껴지던 통증이 목으로 옮아왔다. 아, 안 돼. 이 녀석들, 지금 내 목을 쪼아 먹으려고 하고 있잖아.

"맛보면 안 돼."

까미귀 한 마리가 말린 모양이다.

"왜 안 돼?"
"마녀님이 화낼 거야."

쪼아 먹는 건 포기한다는 말인가.

그치만 이 상황, 너무 위험한 거 아냐?

통증을 고스란히 돌려주고 싶었다. 세이는 머릿속으로 열심히 전달을 외쳤지만 까마귀들은 태연했다. 보통 까마귀가 아닌가 봐. 사람에게 통하니까 당연히 다른 동물에게도 통할 줄 알았는데. 세이의 노력을 비웃듯 까마귀가 말했다.

"소용없어."
"소용없지! 우리는 특별해!"

알아. 알겠어. 너희가 특별하다는 건 알겠으니까, 그만하고 사라져!

그렇게 외친 순간.

"까아아악!"
"까악, 깍!"

즐겁게 떠들던 까마귀들의 소리가 비명으로 변했다.

"도망쳐! 도망쳐!"
"너무해! 같은 마녀끼리!"

무언가 까마귀들을 공격한 것 같았다. 같은 마녀라고? 나는 마녀가 아닌데. 초능력자들은 마녀를 싫어해. 마녀는 엉망진창이야. 힘을 제대로 컨트롤하지도 못하고, 온갖 부작용을 모른 척해. 그런 말도 있잖아. 마녀는 만들어 내고 초능력자는 분석한다. 그러니까 초능력자들은… 컨트롤을… 익혀… 야…

혼란스럽던 세이의 머릿속이 새하얗게 잠으로 물들었다.

누군가가 다정한 손으로 머리를 쓸며, "다 잊으렴."이라고 말한 것 같기도 했다.

4. 마녀의 물건은 함부로 사지 마라

윤세이 님이 주문하신 주술 스톤 5종 세트가 오늘 도착할 예정입니다. 삐링, 문자가 왔다. 도착 예상 시간이 저녁 7시에서 8시 사이라. 한 시간 정도는 기다릴 수 있었다. 미카엘라가 염동력으로 자물쇠를 다시 열었고 세이만 옥상으로 올라갔다.

"직접 만나는 거 아니었어?"

한사코 자기는 안 올라가겠다는 미카엘라를 끌어당기다 지친 세이가 물었다. 미카엘라는 우물쭈물하며 중얼거렸다.

"아, 그게, 난 남자고, 얼굴 본다고 생각하니 쑥스럽고…."
"이 생고생을 내가 왜 했다고 생각해…?"

하지만 안 간다니 어쩌겠어. 그동안 몸무게가 늘었는지 미카엘라는 아무리 세이가 애를 써 봐도 끌려오질 않았다. 결국, 미카엘라는 옥상 계단에 앉아 있고 세이만 올라가기로 했다. 세이는 어이가 없었지만 너그러이 이해해 주기로 마음먹었다. 그래도 저렇게 있으면 너무 불쌍하니까, 선물이라도 주자.

"손 내밀어 봐."
"응?"
"촉각 공유. 내가 느끼는 걸 너도 느끼는 걸로."

바보 같지만.

옥상에서 허공에 대고 '이게 뭐 하는 짓인가.'를 백 번쯤 중얼거리고 있자니 바람이 불었다. 바람이 부는 곳을 보자, 청소기를 탄 여자가 내리고 있었다. 아, 저 사람이구나. 세이는 본능적으로 알았다. 여자는 청소기 먼지 통을 열더니 손바닥만 한 상자 하나를 꺼냈다. 세이는 손을 흔들며 작게 외쳤다.

"언니, 여기요!"

언니 맞겠지, 뭐.

여자는 상자와 세이를 번갈아 보더니 몇 번 눈을 깜박였다. 아, 수상하게 생각하면 안 되는데. 세이는 최대한 천진난만한 웃음을 지으며 인사했다.

"감사합니다! 우리 기숙사 쌤한테 들키면 안 되는 물건이라 제가 직접 받기로 한 거예요."
"아, 응… 아니, 네."

여자가 상자를 건네주고 가려고 하자. 세이는 그 손을 덥석 잡았다.

"저, 저기요! 언니!"

방금 계단 쪽에서 "꺄아." 같은 소리가 들린 것 같지만, 무시하자. 세이는 눈을 질끈 감았다가 떴다.

"여기가 어딘지 아시죠?"

"알죠. 김앤장 드림학교…. 온 적 있어요."

"네! 그래서… 그, 보답의 의미로, 제가 초능력을 써 드리고 싶은데, 괜찮으세요? 제 초능력이 손을 잡고 있으면 어깨 근육이 마사지되는, 어, 그런 건데요!"

젠장. 차라리 눈이 맑아 보인다고 할걸. 이걸 누가 믿어!

"아. 응. 잠깐 정도면 괜찮아요."

믿네.

하긴, 청소기 타고 배달 다니는 사람이면 못 믿을 것도 없겠다.

세이는 최대한 집중해서 눈앞에 있는 여자, 강보라의 손을 잡았다. 1분쯤 잡고 있는 동안 손에 땀이 배었다.

그렇구나. 여름이지.

세이는 다시 한번 웃으며 손을 놓았다.

"됐어요. 조심해서 가세요."

보라는 고개를 끄덕이다가 옥상 구석으로 걸어갔고, 곧 사라졌다.

"하아."

세이는 그 자리에 주저앉았다.

못 해 먹을 짓이네. 나 되게 또라이 같았어.

찜찜함과 서글픔. 미안함. 감정이 뒤범벅된 채로

문을 열고 내려가자 계단에 앉아 있던 미카엘라가 튕기듯 일어나서 세이를 껴안았다.

"손잡았어! 손잡았다고! 똑같이 느껴졌어. 되게 신기해!"

야. 야. 야. 껴안지 마라. 마음 아프다.

"더워. 이거 놔."

세이는 미카엘라의 팔을 치우고 손에 든 상자를 흔들어 보았다. 충격 흡수 포장이 된 듯, 달그락거리는 소리 같은 건 들리지 않았다.

"이거 풀어 보자."

상자 안에는 더 작은 상자가 있었고, 솜에 싸인 돌 다섯 개가 들어 있었다. 미카엘라가 노란색 '소환'과 파란색 '분열'을 골랐고 나머지는 세이가 상자째 챙겼다.

"그럼 간다."

피곤해. 귀찮아. 뒤돌아서는 세이의 어깨를 미카엘라가 잡았다. 여전히 새빨간 얼굴로.

"저기, 이거 나랑 같이 써 보자!"
"무슨 사고를 치려고."

거절할 생각이었는데, 미카엘라는 계속 세이의 어깨를 잡고 흔들었다.

"네가 고른 거고, 너 엄청 고생했잖아. 그러니까 이거 나랑 같이 써."

배려심인지 멍청함인지 알 수가 없다. 나 좀 조용

히 어디 가서 짱 박혀 있게 놔둬 주면 좋겠는데.

"그러면 생물실로 가자. 나 생물실 창문 열리는 데 알아."

그래도 너랑 같이 있으려면 어쩔 수 없지. 세이는 피곤해지는 몸을 억지로 추슬렀다.

마녀랑 초능력자는 잘 안 맞는다는 게 사실인가 봐. 좋은 사람 같았지만, 계속 피곤해.

5. 한밤중의 야단법석

혹시 모르니까 증거인멸. 미카엘라가 가진 두 개의 스톤을 뺀 상자와 나머지 스톤은 세이의 방에 숨겼다. 방을 나온 세이와 기다리고 있던 미카엘라는 생물실로 향했다. 각자의 방이 따로 있고 룸메이트도 있기 때문에 기숙사 안에서는 뭘 하기가 곤란했다. 그리고 남녀 기숙사는 서로 다른 건물이니까, 한 방에 같이 있다가 걸리면 귀찮아지겠지. 그런데 한밤중 생물실에서 단둘이 있는 건 괜찮나? 음, 괜찮다고 치자. 세이는 복잡한 머리를 휘휘 저어 생각을 털어 냈다.

"창문 열었어?"

세이가 아래에서 묻자 미카엘라가 고개를 끄덕였다. 몸이 가벼운 미카엘라가 창문을 열고, 세이가 뒤따라 들어갔다.

"염동력으로 사람도 들 수 있으면 편할 텐데."

"공중 부양 했다며. 언젠가는 되지 않을까?"

세이가 시큰둥하게 묻자 미카엘라가 눈을 질끈 감고 고개를 저었다.

"그거 비밀이야. 유월 쌤도 모를걸. 나 걸어서 나간 줄 알 거야. 컨트롤 무게가 늘어나면 시험도 더 어려워진단 말야."

아. 아. 그래. 퍽도 모르시겠다. 잠옷 바람에 맨발로 걸어 나갔으면 공원까진 가지도 못해. 아마 유월 쌤은 이미 파악했을걸. 네 진짜 염동력이 알려지는 상황을 막으려면 유월 쌤 약점을 세 개는 잡아야 할 거다. 세이는 속으로 혀를 찼다.

들어가서 다시 창문을 닫고 둘은 생물실 책상 아래에 웅크려 앉았다.

"분열 스톤은 뭐 하는 거야?"

세이가 파란색 스톤을 손안에서 굴리며 물었다. 스톤의 가운데에는 실금이 가 있었다. 손에 힘 좀 주면 부러지겠네. 미카엘라가 휴대폰 불빛으로 설명서를 읽었다.

"살아 있는 동물을 두 마리 이상으로 분열시킬 수 있습니다. 단, 분열된 동물은 무게가 부족하기 때문에, 원래의 동물과 겉모습은 똑같지만 속이 텅 빈 인형과 같습니다. 범죄 알리바이 용도로는 추천하지 않습니다."

예시로 드는 용도가 너무 살벌한데. 이런 걸 어린 애들한테 막 파냐.

"무게가 부족하다니. 마녀들이 파는 게 다 그렇

지. 은근히 대충이야."

책상 아래에서 나온 세이는 여기저기를 둘러보았다. 살아 있는 게 뭐가 있으려나. 식물 몇 그루밖에 안 보이는데. 창틀 쪽으로 다가간 세이의 눈에 플라스틱 곤충 채집통이 보였다.

"메뚜기네. 이거 살아 있나?"

살짝 통을 흔들자 메뚜기가 툭 튀어 올랐다. 오케이.

"미카엘라, 분열 스톤 어떻게 써?"
"어. 대상을 꼼짝도 못 하게 가둔 다음에 머리 위에서 스톤을 부수라는데."
"알았어."

세이는 스톤을 쥔 손을 채집통 안에 넣고 힘을 주었다.

뽀각.

푸른색 연기가 피어올랐다.

"잠깐만, 세이야! 우리 주의 사항 안 읽었어!"

미카엘라의 다급한 목소리. 아, 불길한데. 세이는 채집통이 펄떡거리는 것 같다고 생각하며 슬슬 손을 뺄 준비를 했다.

"주의 사항, 뭔데?"
"2kg 미만의 생물에게 사용 시, 2kg이 될 때까지…."

펑.

채집통이 터졌다.

"… 계속해서 분열합니다."

시퍼런 연기 속에서 메뚜기들이 끝없이 튀어나왔다. 미카엘라와 세이가 비명을 지르지 않은 건, 순전히 메뚜기가 입안으로 들어갈까 봐 양손으로 입을 틀어막았기 때문이었다.

메뚜기. 메뚜기. 메뚜기. 하나. 둘… 아니, 못 세겠다. 메뚜기는 구름처럼 한데 모였다가 사방으로 퍼지기 시작했다. 세이는 바닥에 주저앉은 채 뒤로 물러났다. 메뚜기 떼가 화분에 앉는가 싶더니 화분에 심었던 식물이 흔적도 없이 사라졌다. 먼저 정신을 차린 미카엘라가 넋이 나간 세이를 붙잡고 청소 도구함 속으로 들어가 문을 닫았다. 파닥파닥파닥 쏴아아아아 쓰스스스스슷. 메뚜기 몇 마리가 청소 도구함에 같이 들어왔지만 지금 그런 걸 따질 때가 아니었다. 미카엘라는 세이의 어깨를 잡고 마구 흔들었다.

"세이야, 세이야! 정신 차려! 괜찮아?"
"… 으, 어, 아."

전혀 괜찮지 않은 것 같았다. 미카엘라는 바깥에서 메뚜기 떼가 쓸고 다니는 소리를 들으며, 청소 도구함이 나무로 되어 있지 않아서 정말 다행이라고 생각했다. 목재였으면 당장에 뜯어 먹혔을 거야. 청소 도구함은 철로 되어 있었다. 차가워진 세이의 몸을 한 팔로 끌어안고 미카엘라는 계속 말을 걸었다.

"세이야. 괜찮아. 여기는 메뚜기 못 들어와. 이거 철제야. 세이야? 괜찮아. 나 여기 있잖아. 내가 다 태워 버릴까? 응?"

반쯤은 진심이었다. 물론 그랬다간 화재경보기가 울려서 온 학교가 뒤집히겠지. 어떡하지. 미카엘라가 세이를 끌어안고 정신없이 머리를 굴리는 사이 세이가 중얼거렸다.

"… 메뚜기, 내 폰으로 인터넷에서 검색해 봐."

우리가 지금 믿을 건 우리의 초능력과 인터넷 백과사전뿐이야.

미카엘라가 덜덜 떨리는 손가락으로 검색을 하자 '메뚜기 요리', '3천억 마리 메뚜기 재앙', '메뚜기의 생태' 등이 나왔다. 메뚜기를 먹어? 먹어서 없애야 되나? 황망해하는 미카엘라 대신 세이가 정신을 차리고 휴대폰을 받아 들었다.

"메뚜기 한 마리의 무게는 2g 정도다."

2kg까지 분열한댔지. 그러면 저게 몇 마리야.

천 마리쯤 되나.

… 대부분 초식성이라니 다행이다.

"유월 쌤 호출할까?"

미카엘라가 걱정스럽게 물었다. 세이는 고개를 저었다.

"유월 쌤은 벽 뚫기 초능력자도 아니잖아. 창문이나 문을 열고 들어와야 하는데, 문이 열리자마자 저 메뚜기들이 다 어디로 갈 줄 알고?"

문이 열리는 순간 메뚜기가 온 학교로 퍼지면, 생태계 파괴다. 아마 나무 몇 그루는 박살이 나지 않을까. 그 와중에도 세이는 열심히 검색에 몰두했다.

"메뚜기의 천적은… 아 씨, 뭐야. 오리? 하루에 700마리? 오리를 어디서 구해…."

울고 싶다. 정말로 눈물이 뚝뚝 떨어졌다. 세이가 울기 시작하자 미카엘라가 다시 세이를 껴안고 달랬다.

"괜찮아. 너랑 나랑 같이 있으면 괜찮아. 짝이잖아. 응? 우리 연습 열심히 했잖아."

미카엘라의 목소리도 울먹거리기 시작했다. 세이는 눈물을 주먹으로 훔치고 두 뺨을 짝짝 때렸다. 그래, 여긴 너랑 내가 있고, 너랑 나밖에 없지. 아오, 씨. 정신 차려라, 윤세이! 이 난관을 해결할 건 너밖에 없다!

"저걸 내가 다 먹을 수도 없고… 저런 거 먹어 본 적 없어…."

미카엘라야… 2kg이면 고기로 쳐도 10인분이다. 뭐, 볶아서 먹을 수는 있겠지. 어릴 때 먹어 본 적 있는데. 아. 맞아. 메뚜기는 단백질이 풍부해서 미래 식량 자원이랬어. 여기는 미래인가. 단백질이 풍부한… 어라. 단백질.

단백질, 가열하면 굳지 않나…? 계란 삶으면 단단해지잖아.

"야, 방법이 있는 거 같아."

세이는 미카엘라에게 속삭였다.

"근데 그러려면, 우리가 여기서 나가야 해."

나도 되게 싫은데, 호랑이를 잡으려면 호랑이 굴로 들어가야 한댔어.

그래서 둘은 밖으로 나왔다.

6. 위기는 각성의 기회

생각보다 훨씬 시끄러웠다. 이야, 난리가 났네. 세이는 정신을 차리려 애쓰며 주먹이 아프도록 손을 꽉 쥐었다. 무심결에 감각 공유가 되었는지 미카엘라가 자기 손을 움찔거렸다. 생각하자. 생각. 일단 저것들을 가열하면 굳을 거야. 그런데 가열을 하려면 한군데 모아야 되는데.

메뚜기는 생물실 사방에 퍼져 있었다.

"미카엘라야."

"응."

"단백질이 굳는 온도가 몇 도지?"

"계란 흰자는 60도 정도."

"기억 잘하네. 우린 저것들을 굳혀 버릴 거야. 그러려면 네가 초능력을 써야 해. 발열, 온도 조절할 수 있지?"

"하지만 범위가 너무 넓어."

"그건 좁히면 돼. 너, 지금 염동력 쓰고 있어. 우

리 주변에는 메뚜기가 없지? 네가 밀어내고 있는 거야."

위기에 빠지면 멀쩡한 사람도 초능력을 쓴다는데, 우린 초능력이 어떤 건지 아니까.

"범위 좁히면 할 수 있지?"

세이가 미카엘라의 손을 꼭 잡았다. 전달돼라. 자신감 전달돼라. 감각 아니지만 아무튼 전달 좀 돼라. 흔들리던 미카엘라의 눈동자가 세이에게 고정되었다.

"응."
"그럼 해 보자."

모 아니면 도다. 이판사판. 나는 발열 능력도 없고 염동력도 못 쓰지만.

까마귀와 감각을 공유하려고 했을 때 그 녀석들이 "우리는 특별해!"라고 했지. 그럼 특별하지 않은 동물에게는?

먹힐 수도 있지!

세이는 달려가더니 온몸으로 벽을 들이받았다. 쿵, 벽이 울리는 소리가 나고 세이의 전신에 찌르르한 통증이 흘렀다. 좋아.

촉각 공유. 대상은 메뚜기 전체.

교실 중앙에 구름처럼 몰려 있던 메뚜기 떼가 후두둑, 바닥으로 떨어졌다.

기절한 것처럼.

이 정도는 할 수 있지.

"세이야!"

미카엘라가 금방이라도 세이를 부축하러 달려올 것 같아서, 세이는 욱신거리는 손을 뻗어 오지 말라는 말을 대신했다.

"기절한 애들 주워다가 청소 도구함에 넣어! 청소 도구함에 빗자루하고 쓰레받기 있으니까 쓰고!"

아, 이빨이 욱신거린다. 너무 세게 들이받았나. 미카엘라가 후다닥 쓰레받기를 가져다가 청소 도구함 안에 메뚜기를 쓸어 넣는 걸 보고 세이는 억지로 미소를 지었다.

"그래. 잘했어! 몰아넣어서 구워 버리면 돼!"

하지만 몸의 충격을 전달하는 방법에는 한계가 있었다. 몸이 아프니 벽에 세게 여러 번 들이박을 수가 없네. 머리도 울려. 메뚜기가 반 정도로 줄어들긴 했는데, 나머지를 어떻게…

못 서 있겠다.

세이의 몸이 스르륵, 바닥으로 무너졌다.

이번에는 달려오는 미카엘라를 막을 수도 없었다.

"윤세이! 왜 너 혼자 다 하려고 해!"

미카엘라는 달라붙는 메뚜기를 염동력으로 밀어내며 세이의 어깨를 잡았다.

"너 기절하면 난 아무것도 못 해. 혼자 애쓰지 마."
"방법이 없잖아."

"없으면 만들면 돼."

웃어도 바보 같고 울어도 바보 같던 예전의 미카엘라가 아니었다. 단호한 목소리로 말하며 미카엘라는 세이를 일으켜 세웠다. 비틀거리며 생물실 중앙까지 걸어간 다음, 미카엘라는 세이를 바닥에 앉혔다.

"앉아 있어. 이번에는 내가 할게. 그런데 네 힘도 필요해."

얼굴엔 눈물 콧물 자국이 그대로 나 있는데. 그런데 이상하게, 조금은 믿음직해 보인다. 머리가 울려서 상황 판단이 제대로 안 되나 봐. 세이는 앉은 채 미카엘라를 올려다보았다.

"뭘 하려고…."

미카엘라는 손등으로 얼굴을 벅벅 문지르더니 메뚜기 구름을 노려보며 말했다.

"염동력이랑 발열, 동시에 써 볼게. 내가 메뚜기들을 모을게. 세이 네가 손으로 열을 전달해 주면 돼."

미카엘라는 씩씩하게 말하더니 금세 또 시무룩해졌다.

"난 진짜 세이 네가 다치는 거 싫어. 최대한 조절 잘 할게. 그래도 메뚜기를 기절시켜야 하니까, 뜨거울 거야. 손 다칠지도 몰라."
"그런 건 아무 상관 없어."

세이는 손으로 바닥을 짚고 일어섰다.

"그깟 화상 한두 번 입냐. 아주 심각한 화상 아니면 보건실에서 다 치료해 줘."

"씩씩한 척 안 해도 되는데."

미카엘라는 조금 슬프게 웃고, 양손을 뻗었다.

"시작한다!"

메뚜기 구름이 움찔거리다가 한 점으로 압축되었다. 세이의 두 손으로 감쌀 수 있을 만한 크기로. 구름 밖에 있던 나머지 메뚜기들은 사방으로 흩어졌다. 동시에 세이의 양손에 통증이 느껴졌다. 익숙한 통증이다. 화상 직전의 감각. 아마 화상 입겠지. 젠장. 그래도 어쩌겠어.

우리 미카엘라가 해 보겠다는데.

세이는 최대한 버텨 내리라고 다짐하며, 압축된 메뚜기 떼를 두 손으로 감쌌다.

"전달할게!"

미카엘라 너한테는 나밖에 없댔지. 나도 너밖에 없다.

적어도 지금은 그래.

손안에서 꿈틀거리던 메뚜기 떼가 조용해지고, 이윽고 굳어 단단해진다.

할 수 있어.

손이 화끈거린다. 아프다. 한 번, 두 번, 세 번. 골든레트리버 같던 미카엘라의 인상이 지금은 도베르만 같다. 저렇게 사나운 얼굴도 할 수 있었구나.

몇 번을 반복하자 메뚜기 구름은 사라졌고, 사방으로 도망간 메뚜기를 잡아 모아 굽는 일이 남았다. 시간이 얼마나 흘렀을까. 미카엘라는 이제 냉정한 얼굴로 흩어진 메뚜기들을 염동력으로 자기 근처까지 날아오게 해서 아예 으스러뜨리고 있었다. 저것도 처음 보는 표정이다. 세이는 바닥에 수북하게 쌓인 메뚜기들을 보며 속으로 말했다. 미안해. 내가 잘못해서, 너네들을 이렇게 만들었어. 너네가 나쁜 게 아닌데. 차가운 돌바닥에 아픈 손을 댄 채로 세이는 수십 번 미안하다고 메뚜기들에게 빌었다. 미카엘라가 메뚜기들을 기절시켜 넣었던 청소 도구함으로 다가가 손을 뻗었다. 안에서 사방으로 날아다니는, 퍼드득거리는 소리가 울리다가 이내 잠잠해졌다.

다 죽었구나.

미카엘라가 청소 도구함을 열고, 죽은 메뚜기들을 쓰레기 모으듯 한데 모아서 교실 중앙에 쌓았다.

그리고 다시 평소의 멍한 미카엘라가 되어, 세이 옆에 풀썩 주저앉았다.

"손 아프지."

미카엘라가 우울한 표정으로 말했다. 세이가 대답했다.

"나는 아프지만, 재넨 죽었잖아. 별거 아냐."
"그건 그래. 나, 마지막에는 메뚜기들 막 부숴 버리고 그랬잖아. 사방에서 눌러 버리니까 그게 되더라고. 되게 끔찍했는데."

"메뚜기가?"

세이가 묻자 미카엘라가 고개를 저었다.

"내가. 와, 진짜 아무렇지도 않게 죽네? 아무것도 아니네? 그렇게 생각하는 내가 끔찍했어."

미카엘라가 세이의 어깨에 머리를 기댔다.

"세이 네가 없었으면, 난 되게 나쁜 사람이 되었을 것 같아. 넌 한 번도 내 힘을 살아 있는 생물에게 쓰라고 한 적이 없었잖아. 그걸 생각하니까, 네가 정말 대단해 보였어."

아니, 난 널 괴롭히던 애한테 통증을 그대로 복사해 줬던 적이 여러 번인데. 널 괴롭히는 사람한테는 진짜 가차 없었다. 네가 몰라서 그렇지.

"내 짝이 되어 줘서 고마워."

미카엘라의 머리카락이 세이의 목에 스쳤다. 다시 레트리버가 됐네. 그래. 나도 앞으로는 복수를 좀 덜 해야겠다.

엄청나게 졸리다.

그렇게 생각한 순간, 미카엘라의 머리가 툭, 꺾였다.

"야, 야! … 자냐."

긴장이 풀린 모양이네.

나도 졸려.

일단 자고 생각하자.

7. 이건 비밀이야

세이는 추워서 부스스 눈을 떴다. 초여름이라도 차가운 돌바닥에서 잠들었으니 추운 게 당연하지. 깨자마자 눈앞에 쌓인 메뚜기 구이 더미를 보고는 놀랐지만, 옆에서 자고 있는 미카엘라를 보자 안정이 되었다. 그렇구나. 우리가 아주 사고를 제대로 쳤구나.

"휴대폰… 아, 배터리 바닥 직전."

조명등 대용으로 쓰고 검색 머신으로 썼으니 그럴 만도 하지. 세이는 어떻게 할까, 고민하다가 유월 쌤에게 연락을 하기로 했다. 새벽 2시. 주무시려나. 세이의 휴대폰에는 드림학교 전용 교사 호출 앱이 깔려 있었다. 꾹 누르자 호출 신호를 보냈다는 메시지가 떴다. 옆으로 웅크려 자는 미카엘라와 2kg짜리 메뚜기 구이 더미를 번갈아 보니 피식 피식 웃음이 나왔다. 와, 잘 잔다. 세이는 손바닥을 내려다보았다. 물집이 여러 개. 그래도 화상은 엄청 아픈 게 오히려 심하지 않은 거랬어. 세이는 주먹을 쥐어 보려다가 너무 아파서 그만두고, 미카엘라의 손에 자신의 손을 겹쳤다.

이 상태로도 감각이 전달될까.

되면 곤란한데.

정신을 집중해 보니 손에 미미한 열기가 느껴졌다. 으아, 되잖아! 통증을 참고 정신을 계속 집중시키자 손바닥이 점점 뜨거워졌다. 갑자기 미카엘라가 눈을 번쩍 떴을 때 세이는 헉 소리를 내며 뛰어오를 뻔했다.

"아 씨 뜨거! 미카엘라 너 임마!"
"어? 어어? 어, 어…"

음. 좀 버틸 만하면 저 메뚜기 덩어리를 아예 재로 만들어 버리려고 했는데. 유월 쌤이 보면 기겁할 것 같단 말야. 하지만 도저히 못 하겠다. 미카엘라가 비몽사몽하다가 다시 잠들어 버리자 손에서 느껴지던 열기도 사그라들었다.

지이이이잉.

세이의 휴대폰으로 전화가 왔다. 유월 쌤이네. 미카엘라에게서 살짝 떨어져 전화를 받자 졸려 죽겠다는 듯한 목소리가 들렸다.

"뭐야. 이번엔 세이 너야? 무슨 일이야?"
"음, 저희가 사고를 쳤는데요, 생물실에 오시면."

"생물실?"

뚝.

어라, 내가 끊은 거 아닌데! 휴대폰 배터리가 아예 나가 버렸다. 아, 몰라. 생물실에 오시겠지. 그러면… 어… 이걸 어떻게 한다. 문 열고 들어오시겠지? 그래. 적어도 이제 메뚜기 폭탄은 치웠잖아. 그러면 됐어.

"자는 척해야지."

세이는 꾸물꾸물 바닥에 등을 대고 누웠다. 등이 시원했다. 잠든 미카엘라의 숨소리가 들렸다. 속 편해서 좋겠다. 3분이나 지났을까, 생물실 자물쇠가 딸깍딸깍 열리는 소리가 들렸다.

"윤세, 어, 으, 어어어어어?"

세이를 부르려다 메뚜기 구이 더미를 본 유월은 손으로 입을 막고 뒷걸음질 쳤다. 세이는 손의 통증도 잊고 잽싸게 튀어나가 유월을 밀쳐 내고 문 밖으로 나갔다.

"너, 너네, 저게 뭐야아아아아…? 무슨 사고를 친 거야…?"

얼굴이 하얘진 유월 쌤을 보며, 세이는 일단 바닥에 넙죽 엎드렸다.

"살아 있는 거 아니에요! 다 죽은 거예요! 근데 다 제가 친 사고니까 미카엘라는 봐주세요!"

혼비백산한 듯 방황하던 유월의 눈동자가 더 심하게 흔들렸다.

"미카엘라? 미카엘라 안에 있어?"

와 씨.

망했네.

"아. 네. 제가 그, 애가 좀 맹하잖아요. 그래서 담력 훈련 시켜 주려고 메뚜기를… 잔뜩…"

"한반도를 다 돌아다니며 잡아야 할 더미던데."

젠장.

유월은 매우 빠르게 제정신을 차린 것 같았다. 역시 드림학교 교사야. 정신 줄을 놓으면 끝장이지. 세이는 유월의 바지 자락을 붙잡고 매달렸다.

"그게요, 분열 스톤이라는 게 있어서 샀거든요? 네. 그걸 메뚜기한테 썼더니, 에헤헤헤. 제가 딱 열 마리까지만 만들려고 했는데, 마녀가 만든 게 다 그렇죠! 조절이 안 되지 뭐예요! 그래서 미카엘라가 기절하고, 저는 메뚜기 때려잡다가. 에헤헤헤헤."

반은 사실입니다.

"마녀가 파는 거 함부로 사지 말랬지!"

유월이 땅바닥에 납죽 엎드린 세이의 볼을 쭉 잡아당겼다.

"아주 그냥! 쓸 줄도 모르는 능력은 다루지 말라고! 입학 때부터! 가르치는데!"

박자에 맞춰 쭉 쭉 쭉. 쌤, 무지 아픕니다. 근데 화상 입은 손바닥이 더 아파요. 세이는 최대한 해맑게 웃으면서도 유월에게 계속 매달렸다.

"아, 그러니까 제가 친 사고죠. 미카엘라 쫄보인 거 아시잖아요. 제가 다 잘못했어요."

미카엘라에게 절대 책임을 지우지 않겠다는 약속을 받아 낸 뒤에야 유월은 세이의 뒤를 따라 생물실 안으로 들어갈 수 있었다. 얼씨구, 기절했다는 놈이 자고 있네. 유월은 미카엘라를 보고 피식 웃더니 메뚜기 더미에서 한 마리를 주워 들었다.

"때려잡은 게 아니라 불을 질렀네. 초능력이 바뀌었니?"
"그게…"
"와, 대박이다. 무더기로 구웠는데 화재 경보가 안 울렸어?"
"잘… 조절해서…"
"이야아아아아. 대단하네에에에."

유월이 메뚜기를 다시 내려놓고, 세이의 머리 위에 손을 얹었다.

"미카엘라한테는 벌 안 줄 거야. 무슨 일이 있었는지는 다 말해야겠지만. 세이 네가 솔직하게 말해 주면 미카엘라는 안 혼낼게."
"네에…."

잔뜩 풀이 죽은 세이의 머리를 유월이 거칠게 쓰다듬었다.

"힘들었지. 고생했어. 이제 괜찮아. 너랑 미카엘라 둘 다."

그 말에 세이의 울음이 터져 버렸다.

혼난다고 해도, 벌을 받는다고 해도, 내가 잘못한 거니까 괜찮다고 생각했는데. 나는 여기서 쫓겨나도 집으로 돌아가면 되니까 내가 다 혼날 거라고 각오했는데.

"으어어어어어어엉, 흐끅, 흑, 으흐어어어어…."

그런데 이제 괜찮다고 어른이 말해 주니까.

정말로 다 끝났구나 싶어서.

"쉿. 미카엘라 깬다. 이대로 업고 가자."
"흐어, 흐으으으, 네에…."

그리고 멍청한 미카엘라는, 이제 괜찮다는 말도 못 듣고 잠이나 자고 있어서.

안심되고, 손바닥이 아프고, 죽은 메뚜기들한테 미안하고, 유월 쌤한테 죄송하고.

"가자."

너무, 너무, 너무, 무서웠어.

유월은 미카엘라를 업어다 숙직실 침대에 눕히고, 세이를 숙직실 밖으로 데리고 나왔다.

세이는 눈물과 콧물을 번갈아 닦으며 끅끅 잦아드는 울음을 삭이고 있었다.

유월이 세이를 안아 들었다.

"손 많이 아프겠다. 보건실부터 가자. 대체 이 손으로 어떻게 그걸… 윽, 다 잡은 거야."
"몰라요오오오…."

유월에게 달랑달랑 들려 보건실로 운반되며 세이는 생각했다. 아마 유월 쌤은 이미 다 알고 있을 거라고. 미카엘라가 자기 몸무게를 들어 올릴 수 있게 된 것도. 우리가 메뚜기를 열 마리만 불러낸 게 아니라는 것도. 분열 스톤만 산 게 아니라는 것도. 어쩌면 미카엘라가 옥상에서 혼자 사라져 버리려고 했던 것도. 전부 다.

하지만 유월 쌤의 약점을 잡아야겠다는 생각은 들지 않았다.

다 끝났잖아. 그걸로 된 거야.

보건실에서 급한 대로 치료를 받으며 세이는 전부 털어놓았다. 유월의 얼굴은 하얗게 질렸다가, 파랗게 굳었다가, 화가 나서 새빨개졌다가를 반복했다. 이야기가 다 끝나자 유월은 천장을 올려다보며 장탄식을 뱉었다.

"내가 진짜 무슨 죄를 지어서 여기 있냐…."

"잘못했어요."

세이가 고개를 숙이자 유월이 손사래를 쳤다.

"아냐. 해결했으니 됐어. 어쩐지, 초등부 기숙사에 웬 까마귀가 들어갔나 했는데."

어?

"까마귀요?"

"응. 마녀의 패밀리어인데, 아, 젠장… 그런 게 돌아다닐 줄은 몰랐어. 네가 불렀구나."

유월의 눈이 세이에게로 향했다.

에어프라이어 콤비의 탄생

"마녀는 만만한 존재가 아니야."

세이는 유월의 꾸중도 귓전으로 흘리고 머릿속 희미한 생각에 집중했다.

까마귀라니. 본 적이 있는 것 같은데.

"반성의 기미가 전혀 안 보이네."

유월은 마른세수를 몇 번 하더니 세이에게 물었다.

"미카엘라 주머니에 소환 스톤이 아직 들어 있는 거지?"
"네."
"그건 압수야. 대신, 보라한테 전해 줄게. 물론 그냥 주지는 않을 거야. 안전장치를 걸어야지."
"쌤도 그 언니 알아요?"

유월이 피식 웃더니 세이의 귓가에 대고 소근거렸다.

"이건 비밀인데, 사실 난 마녀야. 이 동네 마녀들은 서로 다 아는 사이야."
"네에?"

이번엔 세이가 놀랐다.

"마녀는 초능력자 싫어하잖아요. 초능력자도 마녀 안 좋아하고. 그런데 쌤은 왜 마녀인데도 초능력자 학교에 있어요? 쌤은 초능력 없어요? 쌤은 진짜 마녀예요?"
"질문이 너무 많다. 초능력자 맞고, 마녀도 맞아. 나도 여기 졸업생인걸. 나머지는 전부 비밀이야. 어른에게는 말 못 할 사정이 많다."

"음, 쌤이 자기 전까지 19금 썰 보던 거 같은 사정요?"

유월이 흠칫 놀라며 몸을 뒤로 뺐다.

"뭐야, 교장이 시계 차고 있으면 애들이 초능력 써도 안 통한댔… 아. 젠장."

유월이 빈 손목을 내려다보고 두 손으로 얼굴을 감쌌다.

"자는 중이라 시계 빼놨지… 망했다…."
"저도 알고 싶지 않았어요. 쌤의 성인 콘텐츠 취향 같은 건."

정말 몰라도 될 걸 너무 많이 알았다고요. 보건실에 와서 딱 한 번 시각 복사를 했는데, 쌤이 보던 모니터 화면 잔상이, 단어가, 어우, 아주 그냥 막. 어우.

쌤, 취향이 너무 하드해요.

"비밀이다. 진짜로 비밀이야. 내가 마녀라는 것 다음으로 큰 비밀이야."
"네에."

본의 아니게 약점을 잡아 버렸네. 쌤, 죄송함다. 세이는 속으로 사과했다.

"그럼 제가 가진 스톤은 압수 안 하시면 안 돼요?"
"뭐?"

유월이 되물었다. 어라라, 이건 기가 차다는 게 아니라 몰라서 묻는 거 같은데.

"너, 스톤 두 개만 산 게 아니었어?"

저도 망했어요.

"비밀끼리! 교환! 제발요!"
"안 돼! 맡아 둘 테니까 고등학생 되면 찾아가! 내일 눈 뜨는 대로 가져와!"

아아아. 내 스톤들. 아직 어떤 건지 설명서도 못 읽었는데.

그래도 미카엘라가 안 혼나면 됐어.

스톤을 반납하기로 새끼손가락 걸고, 도장 찍고, 동영상으로 맹세까지 했다. 세이는 눈동자를 데굴데굴 굴리다 짝, 손뼉을 쳤다.

"기억났다! 까마귀! 꿈에 나왔어요."

유월이 피식 웃었다.

"그대로 놔뒀으면 꿈으로 안 끝났을 거야. 숙직 돌다가 알아챘기에 망정이지."

세이가 손을 모아 쥐고 꼼지락거렸다.

"그럼, 다 잊으라고 한 것도 쌤이에요?"
"응."
"왜요?"
"내가 마녀인 걸 알아서 좋을 건 없잖아. 잊으라고 해 놓고 내가 다 깨웠네. 젠장."
"그래도요."

세이는 기억난 김에, 해야 할 말을 하기로 했다.

"고마워요. 유월 쌤."

8. 진짜 네 첫사랑

아침 6시가 되기 전, 세이는 숙직실 침대에서 자는 미카엘라를 흔들어 깨웠다. 미카엘라가 눈을 뜨자마자 마주한 건 세이의 험악한 표정이었다.

"야, 유월 쌤하고 얘기 다 끝났어. 넌 입 다물고 내가 시켜서 했다고 싹싹 빌면 돼. 그것 말고는 아무것도 하지 마. 오케이?"

"어어어어어?"

"네 스톤 압수당했다. 유월 쌤이 그 누나한테 전해 준대."

미카엘라의 얼굴이 새빨갛게 물들었다.

"화났냐? 화내. 내도 된다. 내가 다 감수할게."

세이는 한 대 맞을 각오로 눈을 질끈 감았다. 하지만 돌아온 건 미카엘라의 부끄러움 가득한 절규였다.

"윤세이 바보! 선생님한테 어디까지 분 거야! 진짜 너무해!"

방과 후에 둘은 다시 유월의 숙직실에 불려 갔다. 유월은 소환 스톤을 한 손으로 던졌다 받았다 하며 미카엘라를 보았다.

"사람이 사랑에 눈이 멀어도 그렇지 말이다."
"아악! 선생님 제발! 제발 그만!"

몸서리를 치며 부끄러워하는 미카엘라를 보던 유월은 씩 웃었다.

"다 이해한다. 그럴 수 있어. 그런데 이걸 그 누나한테 그냥 주면 안 돼. 그 누나가 마녀라고 해도 아직 초보거든. 이걸 정말 원할 때 쓸 수 있게, 안전장치를 걸 거야."
"안전장치요?"

아직도 얼굴이 새빨간 미카엘라가 물었다. 유월은 키득키득 소리 죽여 웃었다.

"주술이 발동될 수 있는 주문을 만드는 거야. 너희도 초능력 온·오프 할 수 있잖아. 그거랑 똑같이. 어떻게 하는지는 어른들의 사정이니 묻지 말고."

마녀의 사정이겠죠. 세이는 속으로만 중얼거렸다.

"미카엘라, 네가 원하는 말을 주문으로 해 줄게."

이게 병이야 약이야.

말하자면 메시지 카드를 보내는 거네. 아, 또 속 답답해진다. 세이는 괜히 발끝으로 툭툭 숙직실 바닥을 찼다. 미카엘라가 고민을 하거나 말거나. 미카엘라는 한참을 끙끙대다가 세이 한 번, 유월 한 번 번갈아 보고 말했다.

"미카엘라, 누나가 아낀다!"
"풉."

유월이 끝내 허리를 접으며 웃음을 터뜨렸다.

"아하하하하하! 그게 주문이야? 알았어. 이해해. 오케이. 접수."
"웃지 마세요…. 세이야, 가자."

미카엘라가 세이의 팔을 잡고 숙직실 밖으로 도망치듯 나갔다. 숙직실 앞 복도를 걸으며 세이도 큭큭거리고 웃었다.

"쪼잔해. 소심해. 아예 사랑한다고 해 달라 하지, 그게 뭐냐? 멋대가리 없어."

세이가 팔꿈치로 미카엘라를 쿡쿡 찌르며 놀렸다. 미카엘라는 아직도 빨간 볼을 손으로 식히며 말했다.

"어떻게 그래. 네가 그 고생을 했는데."
"응?"
"너한테 너무 미안하잖아."

아아아아. 뭐야 이게. 기특하네. 세이는 아까와는 다른 감정 때문에 웃음이 터지려는 걸 간신히 참았다.

"그래. 미안하면 내 손 나을 때까지 내 식판도 네가 들고 필기도 네가 하고 가방도 들어라. 내가 밥숟가락은 들어 줄게."
"알았어."

미카엘라가 고개를 끄덕였다.

"아예 날 들어서 옮겨 주면 더 고마울 텐데."

세이의 농담에 미카엘라가 정색했다.

"야, 네가 나보다 키도 크니까 더 무거울 텐데 어떻게 들어."

이 녀석은 왜 이럴 때 산통을 깰까.

세이는 '바보는 어쩔 수 없다.'라는 생각을 하며 미카엘라의 어깨를 손등으로 툭툭 쳤다.

"네가 크면 되지. 근데 너 그거 알아?"

복도 끝에서, 미카엘라가 멈췄다.

"응?"
"첫사랑은 안 이뤄지는 게 좋대."
"아, 그거, 알아."

미카엘라는 대수롭지 않다는 듯 대답하고 계단을 걸어 내려갔다.

응? 알아? 미카엘라가 제법이네. 세이는 벙찐 얼굴로 미카엘라의 등을 보았다.

그래도 상관없다는 건가?

세이가 계단을 천천히 내려가는 동안 미카엘라는 세이를 올려다보았다.

"세이야. 우리 어제 호흡 꽤 잘 맞았지? 난 동시에 초능력 두 개 쓰고, 너는 받아서 전달하고."

언제나처럼 헤헤 웃는 미카엘라의 얼굴에 세이도 마주 웃었다.

"어. 레벨 업 한 거 같다. 근데 이걸로 뭘 하지?"
"고구마 굽자!"

미카엘라의 들뜬 말에 세이가 휘청였다.

"여름인데 무슨 고구마야…."

미카엘라는 세이의 핀잔에도 아랑곳하지 않고 눈을 반짝였다.

"겨울까지 기다리면 되지! 우린 짱 멋진 에어프라이어가 되는 거야. 고구마 익는 데 얼마나 걸리지? 아, 나도 휴대폰 만들어야겠다. 검색할 때마다 컴퓨터 찾아다니는 거 힘들어."

스마트폰은 검색 머신이 아니란다. 에휴. 잠시나마 네 등을 보고 멋지다고 생각한 내가 미쳤지. 네가 크길 기다리다 나는 늙어 죽겠다. 고구마 같은 소리 하네. 네 존재가 고구마야.

"그래. 휴대폰도 만들고 고구마도 굽고 너 하고 싶은 거 다 해라."

이루어지지 않아도 좋은 첫사랑이라. 미카엘라 너 생각보다 어른스럽다. 나는 네 첫사랑이 나였으면 좋겠고, 그게 이루어졌으면 좋겠는데.

"빨리 겨울 오면 좋겠다!"

하지만 네가 이렇게 예쁜데 다른 게 뭐가 중요해.

하고 싶은 거 다 해. 내가 커버해 줄게.

9. 돌봄 노동의 고달픔

위치스 딜리버리의 윤정은 유월의 이야기를 끝까지 듣고 눈물이 나도록 웃었다. 유월이 가져온 상자 안에는 1kg은 족히 넘을 메뚜기 구이가 담겨 있었다. 모양이 온전한 것도 있고, 날개나 다리가 떨어진 것도 있었다. 윤정에게는 즐거운 일이었다. 구운 메뚜기도 주술에 쓸 수 있으니까. 게다가 '분열한' 메뚜기라니, 뭔가 특별한 재료가 될 가능성이 높아 보였다. 살아 있는 게 한두 마리 더 있으면 좋았을 테지만, 유월은 아마 산 메뚜기가 있더라도 버리고 왔을 터였다. 유월은 벌레라면 질색했지.

"감동적인 이야기다. 눈물이 다 나네."

유월은 윤정이 내준 국화차를 마시며 다른 이유 때문에 눈물을 글썽이고 있었다. 마녀인 이상 온갖 생물을 다루는 건 당연한 일이지만, 특별한 사정이 없다면 곤충류와는 눈도 마주치기 싫었다. 세이에게 자초지종을 다 듣고 나서 생물실에 남은 메뚜기 구이를 쓸어 담다가 몇 번이나 헛구역질했는지 신물이 올라올 지경이었다. 이걸 어떻게 처리하나 고민하던 차에 떠오른 게 위치스 딜리버리였다. 윤정에게 전화를 건 게 어제 아침 7시.

"윤정 언니, 혹시 메뚜기 1kg정도 가지실래요? 살아 있지는 않은데."

그래서 겸사겸사, 보라에게 전해 줄 겸 스톤도 가지고 위치스 딜리버리로 온 거였다. 유월은 "정말 이놈의 직장을 때려치워야지 못 살겠어."라고 울분을 토했다. 윤정은 유월의 하소연을 한두 번 들은 게 아니기에 웃으며 이야기를 받아 주었다.

"숙식 제공되는 일자리가 어디 흔하니. 게다가 월급도 잘 주고. 네 초능력도 거기 딱 맞잖아? 뭐였더라, '조련'이었나?"

유월이 인상을 쓰며 윤정의 말을 정정했다.

"조련이라뇨, 무서운 말씀 하시네. '순종'이거든요? 그것도 한 번에 두세 명한테밖에 못 써요. 애들 좀 고분고분해지게 만드는 걸로 무슨."

"사이비 교주 같은 게 되었어야지. 교사가 아니라."

"아, 싫어요. 적성에 안 맞아요."

윤정은 유월이 가져온 스톤을 탁자에 올려놓았다.

"이렇게 물건 막 팔면 큰일 나는데 말이지. 요즘 마녀들은 너무 경계심이 없어. 그 꼬맹이가 큰일 했네. 예비 마녀로 삼아 볼 생각은 없어?"

진짜 강한 주술이 포함된 물건은 마녀에게만 팔아야 한다는 것이 암묵적 룰이었다.

"싹이 보이는 애긴 한데, 모르죠. 그거 판 데는 마녀 협회에 알릴 거예요?"

유월이 묻자 윤정은 미소를 지으며 손가락을 흔들었다.

"사업장 소재지가 성남만 아니면 내 알 바 아니지. 서울 사는 마녀가 해야지."

"철저하시네."

"오래 살려면 그래야 한단다. 낄 때는 끼고 빠질 때는 빠져야 해."

윤정과 유월이 주거니 받거니 대화를 이어 가고 있을 때 도어록을 해제하는 소리가 들렸다. 보라가 사무실로 들어오다가 유월을 보고 고개를 꾸벅 숙였다.

"안녕하세요?"

"아, 네가 보라구나."

유월이 측은하다는 표정으로 보라를 보았다. 윤정에게 가 보겠다고 인사를 한 유월은 보라의 어깨를 꼭 붙잡았다.

"네 인생도 쉽지는 않겠구나. 힘내라."

"예? 아… 네."

보라가 옷을 갈아입고 나오자 윤정이 소환 스톤을 보라 앞으로 밀어놓았다.

"보라야, 기억나? 네가 판교에서 주웠다던 그 꼬마. 금발 남자애 있잖아. 드림학교 애."

"기억나요. 드림학교에 배달 간 적도 있고. 그런데 이건 뭐예요?"

"그 남자애가 주는 선물이란다. 방금 나간 애, 유월이가 드림학교에서 일하거든. 너한테 전해 달라고 했대."

많은 것이 생략된 말이었지만 보라는 일단 스톤을 받기로 했다. 반짝거리는 스톤은 엄지손가락 크기 정도여서 주머니에 가볍게 들어갔다.

"행운의 돌 같은 건가?"

"아냐. 소환 스톤. 진짜 주술이 걸려 있어. 쓰는 방법은 말이지. 그걸 머리 위로 들고, 주문을 외치는 건데, 그 주문이."

윤정은 차마 말로 못 하겠다는 듯 휴대폰 화면에 문장을 띄웠다. 보라는 그걸 보자마자 큽, 하고 터지는 웃음을 꾹 참았다.

"아, 완전 웃겨. 걔도 되게 특이하네요. 드림학교 애들하고 얽히지 말라고 하셨으면서 이런 거 주셔도 돼요?"

윤정이 어깨를 으쓱했다.

"조련의 마녀가 알아서 잘 처리할 거야. 잘 챙겨 둬. 위험한 물건은 아니니까. 그리고 앞으로 이 주소에서 오는 택배는 무조건 따로 빼놔."

윤정은 주술 스톤의 판매처를 적은 종이를 보라

에게 넘겨주었다. 보라는 종이를 받아 들고 택배가 쌓여 있는 쪽으로 갔다.

"몇 번 본 적이 있는 것 같은 주소네요. 빼서 사장님 드리면 되죠?"

"응. 오늘도 수고해라."

"네."

아마도 이것이, 몇 년 뒤 '분당구 에어프라이어 겉바속촉'이 될 초능력자 콤비의 시작일 것이다. 하지만 그 얘기는 아직 멀고 먼 미래의 일이다.

작가의 말

2016년 8월이었어요. 저는 판교로 출근한 지 한 달도 안 된 새내기였고, 판교역 1번 출구에서 사무실 지역을 향해 걷고 있었습니다. 그때 쿠우우우우, 엄청나게 큰 소리가 났어요. 사람들은 아무도 신경을 안 썼고요. 하늘을 올려다보니 커다란 비행기가 건물 위로 떠 있었습니다. 고도가 낮아서 크게 보인 거였어요. 판교에선 하루에 비행기 다섯 대는 볼 수 있더라고요. 그날의 기억은 아직도 선명하게 남아 있습니다.

<위치스 딜리버리>의 시발점은 트위터에서 본 '로봇 청소기를 타고 날아가는 마법사' 그림이었습니다. 그리고 요즘은 뭐든 배달되는 시대잖아요. '마녀'라는 소재로 유쾌한 이야기를 써 보고 싶었습니다. 작품 배경의 모델이 된 수내고 근처에 산다는 이유만으로 자취방에 저를 수없이 들여야 했던 친구에게 무한한 감사를 보냅니다. 책 주러 또 갈 거지만.

저는 주로 SF를 써 왔어요. 그런데 초능력자 이야기도 SF일까요? 그건 잘 모르겠습니다. 하지만 마블

의 이야기들은 기술자가 나온다는 점에서 SF가 맞다고 생각해요. 어린 초능력자들의 우당탕탕을 써 보고 싶은 마음이 모여서, 최종적으로 이 책 한 권의 원고가 되었어요. 장르는 성남 어반 판타지입니다.

한국 소설 중엔 한국을 배경으로 둔 작품이 많죠. 《오늘의 SF #1》에 아예 부천 가이드가 실렸을 만큼. 주말이면 성남, 수내를 돌고 평일엔 판교를 돌며 성남도 재밌는 도시라는 생각을 했어요. 학생이 많고 공원이 있고 '장류진교'(원래 이름이 따로 있습니다만, 장류진 작가님의 《일의 기쁨과 슬픔》을 본 다음부터 혼자 그렇게 부릅니다.)가 있고 게임 회사가 많고. 그 풍경들을 한번 써 보고 싶었는데 안전가옥이 작업하자고 제의를 하셔서 조심스럽게 말을 꺼냈습니다.

"이런 이상한 건 다른 데서는 안 받아 줄 것 같은데, 안전가옥은 받아 주나요?"

좋아하셨어요.

감사의 말로 넘어갈게요. 쿨하게 보이려다 끝에 가선 골골대는 저를 믿고 지지해 주신 안전가옥 스토리 PD 테오 님, 수내동 자취방을 주말마다 탈취당한 친구, 저의 원고 메이트 겸 아무 말 메이트 K 님께 가장 감사드립니다. 덕분에 화끈하게 원고 라이프를 불태울 수 있었습니다.

작업 내내 저의 BGM이 되어 준 뮤지컬 <위키드> OST 'Defying Gravity'와 <엑시트> OST '슈퍼히어로'에게도 고마움을 전합니다. 사실상 두 소설의 테마

곡이에요.

그리고 이 책을 읽어 주신 당신께. 당신이 즐거우셨다면 좋겠습니다.

배달 노동자와 교육 노동자의 안전을 빌며.

전삼혜 드림

프로듀서의 말

전삼혜 작가님께 작품집을 함께 하자고 연락드린 건 작년 가을쯤이었습니다. 사실 그 이전부터 작가님과는 구(舊) 연무장길 안전가옥에서 진행한 행사에서 몇 번 마주치곤 했지요. 그때마다 "우리 언제 밥 한번 먹어요."라는 말처럼 "우리 언제 작품 같이 해 봐요." 라는 기약 없는 인사를 나눴던 것 같습니다. 그러다 작가님께서 작년 가을 어느 날 트위터에 회사를 퇴사하고, 원고에 집중해 보겠다는 말씀을 남기셨지요.

이때다 싶었습니다.

곧바로 '작업하자고' 요청했습니다. 그리고 작가님께서 그동안 써 보지 않은, 써 보고 싶으나 다른 곳에서 받아들이지 않을 것 같은 아주 특이한 이야기를 만들어 보자고 같이 이야기를 나누었습니다. 먼저 작업하기로 예정되었던 원고만 넘긴 후에 본격적으로 시작하자는 이야기도 나누었습니다.

그렇게 시간이 흐르고, '위치스 딜리버리'라는 제목의 단편 원고가 도착했습니다. 그 속에는 정말 멋진 어반 판타지 장르로 더욱 크게 뻗어 나갈 수 있을 것 같은 이야기가 자리 잡고 있었습니다.

저는 아주 신이 났습니다. '이건 단편이나 중편으로만 머무를 이야기가 아니야. 청소기를 타고 더 멀리, 더욱더 높이 날아가야 해.'라며 혼자 무척 열을 올렸습니다. 한국의 어느 한 도시를 배경으로 하는 어반 판타지 장르를 꼭 한번 개발하고 싶다는 욕심도 있었고요. 그래서 작가님께, 장편 작업은 절대 안 된다고 여러 번 말씀하셨던 작가님께, 장편으로의 개작을 진지하게 검토해 보자고 제안하기도 했습니다.

결과적으로 《위치스 딜리버리》는 예비 마녀가 되어 이상한 사건에 휘말리는 '보라'의 이야기와 성남 어딘가 있을지도 모를 초능력 학교를 배경으로 한 에어프라이어 콤비인 '세이'와 '미카엘라'의 이야기, 이렇게 두 편으로 엮여 세상에 나오게 되었습니다. 여러 이유가 있었지만, 갑작스레 등장한 코로나19로 인해 지친 분들에게 어서 빨리 이 신나고 재미있는 이야기를 전해 조금이라도 즐거움을 드리고 싶다는 생각이 가장 크게 작용했습니다.

어찌 되었든, 시 이름보다는 분당과 판교라는 지명이 더욱 유명하고 탄천이 흐르며 경부고속도로가 지나는 '성남시'를 배경으로 둔 어반 판타지 장르의 이야기라는 사실 자체에는 변함이 없습니다. 오히려 이야기가 커질 씨앗이 더욱 잘 보이는 작품집이 되었다고 생각합니다.

경이로운 원고 작업 속도를 선보여 주신 전삼혜 작가님과 더불어, 원고를 언제나 멋진 책으로 바꾸어 주시는 이혜정 편집자님과 금종각의 이지현 디자이너님께도 진심으로 감사의 말씀을 전합니다.

혹시 깊은 밤, 하늘을 날고 있는 청소기를 보시게 된다면 부디 모른 척해 주세요. 누군가 배달시킨 애플망고치즈빙수가 늦지 않게 도착해야 하니까요.

감사합니다.

안전가옥 스토리 PD
윤성훈 드림

위치스 딜리버리

지은이 전삼혜
펴낸이 김홍익
펴낸곳 안전가옥

기획 안전가옥
콘텐츠 총괄 이지향
프로듀서 윤성훈
고혜원 · 김보희 · 신지민 · 이은진
임미나 · 조우리 · 황찬주
퍼블리싱 박혜신 · 임수빈
편집 이혜정
디자인 금종각
경영전략 나현호
서비스 디자인 김보영
비즈니스 이기훈
경영지원 홍연화

출판등록 제2018-000005호
주소 04779 서울특별시 성동구 뚝섬로1나길 5,
헤이그라운드 성수 시작점 201호
대표전화 (02) 461-0601
전자우편 marketing@safehouse.kr
홈페이지 safehouse.kr
ISBN 979-11-90174-90-9
초판 1쇄 2020년 8월 26일 발행
초판 4쇄 2022년 11월 15일 발행